A MI GUSTO
La cocina de las "muchachitas"

A MI GUSTO
La cocina de las "muchachitas"

Nilda Cepero

House of the Tragic Poet

Los otros libros de Nilda Cepero

Poesía
Sugar Cane Blues
Lil' Havana Blues
A Blues Cantata
Bohemian Canticles
Hemingway, The Last Daiquiri
Cuento
Más Allá del Azul
Memorias
Recuerdos de Sevilla y otros caminos

Portada: Fantasía Antillana/*Enrique Riverón (1902-1998)/ colección de la autora. Page 84:* Farm Girl/*Hélène Poirié.*

Las recetas que aparecen aquí fueron recopiladas por la autora y su tía, Margot O. Cepero.

Library of Congress Control Number: 2017937677

ISBN: 978-1-890953-13-3

Esta historia comienza en un circo
Lleno sólo de felicidad
Donde chicos y grandes olvidan
La realidad ...

— El fantasma del circo, *canción*
interpretada por Luis Bravo.

A **Ivan Acosta**, dramaturgo y director, que ha dedicado su vida a la cultura cubana del exilio; a **Clyde James Aragón**, ingenioso cuentista, que siempre me hace reír; a **Alan Britt**, magnífico poeta y colega; a **Juan Cueto-Roig**, sutil poeta, cronista y noble amigo; a **Luis González Cruz**, novelista, poeta y entrañable compañero literario; a **Radamés Morales**, narrador y aliado fidedigno.

A los creativos Yasmin, Damian y Danielle Juliet, para que comprendan quién fui, soy y seré.

Mi agradecimiento a todos aquellos amigos que me han acompañado en este viaje; a la entrañable y culta Ellen Lismore de Leeder, una dama valiente; a la fascinante Marta Rodríguez-Santos, viuda de Toraño, Govea y Blair, un magnífico ejemplo de la joie de vivre.

CONTENIDO/CONTENTS

Introducción 13

En el principio... 15

Recetario 31

Sofrito estilo Isa 31

Mojo criollo 32

Arroz amarillo con maíz estilo Nana/ *Yellow Rice with Corn* 33

Muñeta estilo Abu/ *Munyeta* 34

Pollo en cazuela estilo Zoila/ *Chicken Casserole* 36

Picadillo Alejandrina 38

Albóndigas estilo Paloma/ *Beef Meatballs* 39

Carne con papas estilo Ofelia/ *Beef with potatoes* 40

Tortilla española estilo Paloma/ *Spanish Omelette with French Fries* 42

Tortilla española estilo Sofía/ *Spanish Omelette with Ham* 42

Tortilla española estilo Aracely/ *Spanish Omelette with Maduros Plantains* 43

Croquetas/ Croquettes 44

Sopa de plátano macho verde estilo Ofelia/ *Green Plantain Soup* 46

Sopa de plátano macho maduro estilo Ofelia/ *Maduros Plantain Soup* 47

Fufú de plátano macho verde estilo Raquel/ *Green Plantain Puree* 48

Fufú de yuca estilo Raquel/ *Cassava Puree* 49

Frituras de malanga estilo Alejandrina/ *Taro Fritters* 49

Frituras saladas de maíz estilo Ana/ *Salty Corn Fritters* 50

Frituras dulces de maíz estilo Ana/ *Sweet Corn Fritters* 51

Berenjena empanizada estilo Tina/ *Breaded Eggplant* 52

Huevos fritos estilo Paloma/*Fried Eggs with
   Spanish Sausage and Potatoes*   52
Ensaladas siglo XXI/*Salads*   53
POSTRES/*DESSERTS*   54
Merenguitos/*Small-Portion Meringue*   54
Crema de fruta fresca/*Cream of Fresh Fruit*   55
Buñuelos de plátano macho/*Maduros Plantain
   Sweet Fritters*   56
Torrijas/*Cold French Toast*   57
Natilla/*Custard*   58
Álbum de la niña revoltosa   61
Epílogo   69
Apéndice A   71
Apéndice B   72
Álbum de "días de vino y rosas"   75

TO MY LIKING: The Cuisine of the "Girls"   85
Introduction   87
At the beginning...   88
Epilogue   101
Appendix A   103
Appendix B   104

INTRODUCCIÓN

Escribir unas memorias, aunque sea un trabajo corto y ameno, no es tarea fácil porque la verdad nunca es absoluta. Para que lo que he escrito sea una obra lo más certera posible, he tratado de presentar, por medio de las anécdotas y las fotografías que muestro, mis múltiples facetas: emocional, familiar, social e intelectual. En resumen, pequeños detalles de mi personalidad. Como me fascina compartir, he tratado de ser sincera y no sólo presentar mis virtudes, pero también exponer mis carencias, cosa difícil de uno mismo hacer. A la mente me viene una dedicatoria en un libro que un buen amigo escribió: "Para Nilda, la que se ríe de mis chistes y no de mis errores".

En el principio — los años en la finca.

Mis célibes tías, conocidas cariñosamente como "las muchachitas", hermanas de mi hermoso — como un artista de Hollywood — padre, eran pías, ingenuas, lindas y todavía vivían con su progenitor, mi abuelo. Las cuñadas, que se habían casado muy jóvenes con sus cuatro hermanos — en conjunto eran ocho — se referían a ellas como "las quedadas". Y es que en aquel tiempo la mujer que llegara a los 26 años sin casarse era considerada una solterona; aunque el apodo encajaba, también había poca misericordia. La mayor de las dos tenía 27 años y la que le seguía 25; quizás soñaban con aquel "príncipe azul" de las novelas. Ahora, después de repasar el ayer, estoy segura de que nunca habían sentido el fogaje de la pasión y, peor aún, ni remotamente haber oído el término, ya que en esa época "de eso" jamás se hablaba. Supongo que les emanaba un placer ingenuo durante las lecturas de novelitas rosas, de las cuales tenían abundante biblioteca y que, por supuesto, mantenían fuera de mi alcance. Pero sospecho que el mayor gozo lo obtenían por medio de la cocina y sus singulares recetas. Me resuena todavía aquella tan expresiva frase que proferían al entrar a la cocina frotándose las manos: "manos a la obra". Imagino que para eso era lo único que se atrevían a usar sus manos.

Comenzando el viernes, todos los fines de semana mis padres me llevaban a la finca para que disfrutara y conociera la vida en el campo. Recuerdo que en la casona aquella tenían dos ayudantes permanentes. Una era mayor y se llamaba Paloma. Nacida en la región española de Galicia, tenía cuarto en la hacienda. Y la otra, más joven, que de pila llamaban Isa. Esta última, nacida de madre cubana y padre chino, dormía en su propia casa. Isa se molestaba con la forma de hablar de la gallega porque no la entendía. La mayor parte del tiempo discutían y yo reía oyendo la algarabía.

De los productos que suministraba la finca, que eran muchos y cuantiosos, las dos se encargaban de preparar toda clase de alimentos usando maíz, huevos, leche e infinidad de frutos agrícolas. Limpiaban, rallaban y molían el maíz, ese maravilloso grano que la cocinera gallega se negaba a comer porque decía que era comida para cerdos.

En esa tierra de la Isla, que es muy fértil, las mazorcas crecían enormes. Paloma guardaba sus hojas entre gasas, para más tarde usarlas y envolver unos tamales deliciosos que por años disfrutó mi extensa familia.

Como éramos numerosos, entre familia, jornaleros y visitantes, además de las dos ayudantes permanentes, iban varias veces a la semana otras chicas, cuyos nombres no recuerdo, para ayudar a preparar los dulces, arroces, carnes, sopas y tortillas españolas. Pero sobre todo para cortar los ajíes, cebollas, ajos, tomates y algún otro vegetal que le agregaban al sofrito. Recuerdo que echaban la mezcla ya triturada en pomos de cristal, los sellaban y los guardaban en la nevera; de este modo duraban mucho más.

Paloma confeccionaba el pan campesino o criollo. Lo había aprendido a hacer de una receta de mi bisabuela, que era de familia malagueña. Y a mi abuelo, o Abu, como le llamábamos, le gustaba comerlo para la merienda con queso blanco, aceitunas rellenas y sardinas fritas, acompañándolo con un buen vaso de vino tinto, preferiblemente de las bodegas Torres*.

*En Cuba, el padre de mi abuelo conservó una grata amistad con Jaime Torres, otrora fundador de las Bodegas Torres, de Vilafranca del Penedès en Cataluña. Tuve la buena fortuna de visitar la propia vinatería y saborear el vino, el cual encontré delicioso, especialmente el brandy añejado 20 años, que aún consumimos en casa.

Preparaban muñeta todos los sábados, un plato español elaborado con frijoles blancos y especias, que al abuelo le encantaba. Abu, nacido en Cuba, era portador de una orgullosa herencia asturiana-catalana que, según mi madre, probablemente incluía exóticas gotas de sangre asiática y otras mezclas interesantes. La muñeta la compartía con sus amigos, que eran veteranos como él, de las contiendas por la independencia de Cuba de 1895. Él había ingresado en las filas de los insurgentes muy jovencito y era uno de los afortunados que sobrevivió los tiros, enfermedades y hambre. Se casó más tarde con mi abuela, una bella criolla que era 15 años más joven que él. Sus amigos siempre lo visitaban para cambiar impresiones sobre la política del momento, mientras jugaban dominó.

Otras de las costumbres que practicaban en el hogar, por seguir las tradiciones religiosas, era comer pescado todos los viernes. Algo que ahora, pensándolo bien, me parece muy curioso, ya que mi abuelo jamás iba a misa ni ostentaba catolicismo. A mí de la única forma que me podían hacer comer pescado era empanizado y frito, de una receta que llamaban "minutas de pescado". Es más, no fue hasta que era una joven, graduada ya de bachillerato en Boston, que fue en la metrópolis donde me desarrollé después de que mi mundo se hiciera añicos, que por fin me animé a probar el pescado y los mariscos—platos muy codiciados en esa ciudad. Sorprendentemente, por ser tan beneficiosos para la salud, es lo que más consumo ahora.

Mis tías, aparte de ser bonitas, eran mujeres muy interesantes. Como se aburrían en la finca, insistían en ayudar en la cocina, cuando no estaban bordando, jugando canasta, tocando el piano o escribiendo poesías. Desde luego, portaban guantes cuando se unían a Paloma en esos menesteres y así cuidaban de las uñas que usualmente pintaban del color que estaba de moda. Incluso, usaban redecillas para proteger — no los alimentos — el cabello, que mantenían suave y ondulado, como las artistas de Hollywood. Abu, como chiste, las llamaba "las institutrices alemanas".

Todas las semanas venía la peluquera a arreglarles el cabello y, de paso, también le hacían lo mismo a las trabajadoras de la casa, porque mis tías insistían en que todas lucieran bien. Para ellas, la apariencia era indispensable para inducir la autoestima — esa lección no cayó en oídos sordos y la he practicado toda mi vida.

En mi memoria tengo grabado un cuartico que habían preparado y que parecía una peluquería en miniatura. Estaba alejado del despacho de Abu, porque a éste le molestaba la algarabía que formaban semanalmente cuando se juntaban para acicalarse. A mí me fascinaba jugar allí y ponerme toda clase de sombras multicolores en los ojos, rociarme con perfume y fijador de cabello. Cada vez que Isa me descubría aplicándome maquillaje y crayón en los labios, me echaba del cuartico. Son memorias simpáticas de una época encantadora.

Hay sol bueno y mar de espuma...*

En los veranos se mudaban para la playa de Santa Fe y me llevaban con ellas. Abu había comprado una casa a la orilla del mar y fue allí donde aprendí a nadar como un pez. Esa casa veraniega tenía un portal a la redonda con ventanas y puertas grandes, así la abuela, que padecía de asma, podía disfrutar de la brisa fresca de esa playa rocosa, que mejoraba su condición. Al caer la tarde, las tías tocaban el piano que la dueña anterior les había cedido, y cantaban para entretenerme. Fue durante esos estíos que interpreté mis primeras melodías. Recuerdo que mi abuela, a la que llamaba Abita, al yo terminar cada tonada, aplaudía y

---

*De "Los zapaticos de rosa" por José Martí.

anunciaba a todos los reunidos allí: "va a ser cantante". También en aquel viejo y maltratado piano ellas me dieron las primeras lecciones, para más tarde seguirlas formalmente con la señorita Esther, una preciosa e inteligente mujer de admirable presencia y muy orgullosa de sus orígenes españoles y africanos; su entrenamiento como trabajadora social le sirvió también para domar mi brío y lidiar con mi extenso vigor.

Volvemos a la finca

Cierro los ojos y aún escucho a Abita tocando el piano azul en la saleta de la finca. Decían las tías que ese no era el color original, pero que lo habían mandado a pintar de ese tinte para que no desentonara con los muebles nuevos. Eso era algo que venía bien, según ellas, ya que el portal de aquella vieja hacienda tenía columnas dóricas que combinaban con las patas rectilíneas del estilo Luis XVI. No les fue fácil animar a mi Abu a que comprara los muebles y que regalara los antiguos a Isa, que se puso loca de contenta con el obsequio. Como siempre, sacaban sus ideas de las revistas que mostraban las casas de sus actrices favoritas de Hollywood. Las chicas se querían modernizar y dedicaban gran parte de su tiempo a coleccionar *Buen Hogar* y algunas otras publicaciones que traían reportajes de actrices famosas vestidas con lujosos trajes que las tías más tarde mandaban a confeccionar a su costurera.

Todos los meses las tías pasaban por el distrito comercial de la calle Muralla en la Habana Vieja, donde muchas de las tiendas de paños estaban ubicadas, y adquirían telas y enseres que después llevaban directamente al taller de Rosita. Me acuerdo haberlas acompañado varias veces a la modista, que era gorda, con un acento español fuerte y un talento excepcional para copiar los diseños de las revistas a la perfección. Al terminar las compras, invariablemente pasábamos, a mi insistencia, por la cafetería del Woolworth—el colo-quial "Ten cent"—a almorzar perros calientes rebozados con kétchup y cubiertos de deliciosas papitas fritas a la juliana.

Más tarde estrenaban los modelos en las únicas dos fiestas a las que se les permitía ir, a la del Centro Asturiano y a la del Centro Gallego. Eran sólo en esos momentos tan soñados que bailaban con chicos que no fueran de la familia, aunque las chaperonas las vigilaban con esmero.

Desde muy pequeña, cuando llegaba de visita, me mostraban y leían, para mantenerme distraída, los artículos que salían en las publicaciones que coleccionaban, hojeaban para pasar el tiempo y mantenían en cajas. Admiraban e incluso me hablaban sobre las artistas como si las conocieran. Vivían en un mundo especial. Muy pocas semanas dejaban de ir al cine y en algunas ocasiones me invitaban. Muchas veces las oí comentar sobre Rita Hayworth, María Félix, Dolores del Río, Virginia Mayo y Lauren Bacall. Esas eran algunas de sus preferidas. Igualmente cortaban fotos de los más importantes galanes como Cary Grant, Tyrone Power, Errol Flynn, William Holden y Alain Delon*, entre otros, y luego las enmarcaban para colocarlas en sus habitaciones.

A la finca venía todas las semanas el cura de la parroquia a hacer la visita, buscar donaciones y celebrar la misa. Mi Abu nunca asistía a la ceremonia, porque, según él, eso era cosa de mujeres. Pero las chicas siempre se confesaban y tomaban la comunión, y las sirvientas también porque ellas se lo exigían. Yo no entendía mucho el proceso, pero ahora me pregunto: ¿Cuál sería la transgresión que tenían que revelar si no alternaban mucho? Mi Abu razonaba que algunas de las amigas de

*Tuve la suerte de conocer a este actor francés en una de mis visitas a Washington, D.C.

las tías, que ya tenían novios o estaban casadas, podrían tener una pérfida influencia sobre sus "muchachitas".

A Abu le gustaba controlar lo que sus hijas hacían en la casa, y eso incluía que no trabajaran en la cocina, porque pensaba que no era labor de señoritas finas. A pesar de que se desarrollaban en la finca, su estilo de vida imitaba el de la gran ciudad. La ilusión de mi Abu, comentaba mi madre, era que fueran chicas elegantes como las hijas de su hermano. Estas últimas vivían en una casona tradicional, con patio andaluz, en la Habana Vieja; pero a mi Abu nadie lo podía arrancar de esa tierra colorada que él tanto amaba. Sin embargo, ¡mis tías!, mis imaginativas tías, tan diferentes a sus primas, lo que más anhelaban era crear platillos, pero solamente se plantaban detrás de las hornillas cuando Abu no estaba en casa. Insistían en ayudar a pelar los tubérculos (ñames, yucas, malangas) y plátanos machos para que las chicas no se cortaran. Aún recuerdo que sus caras reflejaban un gozo peculiar al limpiarlas, parecía, más bien, que las acariciaban. Como los niños tienen una profunda percepción que va más allá de la experiencia adquirida por los años, muchas veces, al observar tal gusto, insistía en ayudar, pero ellas me rechazaban y sacaban de la cocina. Hoy me viene a la memoria que cuando las ayudantes estaban de buen humor, en plena faena y sin las tías presentes, reían contando anécdotas cautivadoras.

Supongo que verlas trabajar era una aventura gastronómica, y así me mantenían entretenida. Pero, a pesar de mi alboroto y mis travesuras, no era del agrado de las tías que Paloma me llamara la atención. No hay lugar a dudas que yo era protegida y consentida. Según ellas, yo nunca hacía nada inoportuno y, en realidad, todo lo que se me ocurría eran simples "excentricidades".

Analizando estos recuerdos, en verdad es un

milagro que me haya desarrollado tan bien centrada. Tanta era mi efervescencia, que la farmacéutica del barrio, catalana de pura cepa y aparentemente con poca paciencia para los pequeños, cuando conversaba con mi madre siempre le preguntaba por "veneno", el mote con el que me apodó y algo que no le hacía gracia a mi progenitora. Yo era la niña de sus ojos: adorable y encantadora, con bucles color miel que ella adornaba, afanosamente, con bonitos lazos y cintas. Para mi madre y mis tías yo era alguien que fácilmente hubiese podido ser una inspiración para la imagen de una etiqueta de productos de belleza. Gracias a Dios que en aquel tiempo no eran populares las audiciones, si no, a allí me hubieran arrastrado para convertirme en una Shirley Temple tropical.

En mis visitas semanales, me sentaban en un taburete cerca de la cocina para poderme vigilar porque, de acuerdo a ellas, yo tenía la mala maña de escabullirme para ir a montar a caballo. Para que me tranquilizara, me daban a tomar agua fría de coco directamente de la fruta con un absorbente, algo que me refrescaba y disfrutaba. Era entonces cuando mis tías me contaban anécdotas sobre nuestros parientes españoles: los de Asturias, Cataluña y Andalucía. Ahora que conozco mejor la cultura ibérica, me doy cuenta que esa mezcla de regiones es explosiva. ¡Qué liga! Y esa amalgama se veía mucho en las Américas, pero casi nunca en la Madre Patria, en donde los habitantes de cada región, aún hoy, prefieren ir al altar con coterráneos.

¿Y qué heredé de esta mezcolanza de talentos? Cómo narré en el libro, *Recuerdos de Sevilla...* (2014), de los asturianos, como mujer, pienso que recibí el espíritu individualista; de los catalanes el *seni* o cordura —aunque mi familia no lo vea así— y para mi deleite, del cacho malagueño saqué lo más divertido, mi amor por la música, el baile y el canto. Esa alegría y salero que

Cilantro

Anís estrellado

Perejil

Laurel

Comino

Romero

Tomillo

Eneldo

Oregano

también obtuve de mi cultura caribeña. (Ver apéndice A).

Después de todo, el fogón de la cocina de la finca era un reflejo de la vida armoniosa que se vivía en familia. Recuerdo que mis tías supervisaban, con gran afán, ciertos platillos que creaban especialmente para mí. Y no era de extrañar. Fui mimada y la única sobrina por algún tiempo. Más tarde, cuando mi prima aparece en escena, yo la veía más bien como una muñeca animada. Quizás las tías me consentían menos con la nueva adición, pero nunca lo noté. Dentro de mí todo permanecía igual. Yo seguía siendo la princesa de la familia, especialmente para mi Abu. Así fue hasta la última visita—cuya imagen guardo con recelo—el día mismo que se quitó la vida.

Hace un tiempo me explicaron que lo que precipitó su decisión—tema que siempre vetaron—más allá de la tiranía que diezmó sus bienes, fue el enterarse de que me iban a enviar al extranjero. Fui la alegría de los fines de semana y su ilusión de vivir, después de que mi abuela falleció.

En la gastronomía de la casa había ciertos ingredientes que nunca faltaban. Sin embargo, yo pedía que le agregaran otros, que hacían a mis tías pensar que yo tenía un paladar algo estrafalario. Por ejemplo, no importaba si el plato fuese salado, dulce, agrio o amargo, me encantaban y me siguen gustando las uvas pasas en las recetas. Le decía a la cocinera—porque, a pesar de mi sonrisa ingenua, nací muy mandona—que se las agregara al picadillo, a la carne con papas y a cualquier cosa que salía de la cazuela. A las frituras de vegetales me gustaba que le untaran unas goticas de miel—por suerte, en la finca había panales del dorado líquido.

Aquello era como una pequeña industria y se

comentaba que daba entradas magníficas. Igualmente se dedicaban a la venta de reses y leche. De acuerdo a las anécdotas, cuando mis abuelos se casaron el regalo entre las dos familias, aparte de la finca, fueron 115 cabezas de ganado lechero mixto y cincuenta reses cebú, que eran excelentes por sus carnes. Compartí muchos ratos con aquellas vacas jersey de color dorado y enormes ojos, y con las holstein de manchas negras y desmedidas ubres que parecían a punto de explotar. Cuando las ordeñaban, la leche formaba sobre el cubo una crema espesa que se usaba para hacer mantequilla, y muchas veces vi aquel líquido albo coagularse en sabroso queso fresco que lo consumía toda la familia, trabajadores y vecinos, pero que no se vendía. Las vacas eran tan dóciles, que no me asustaban cuando, en mi aventurera existencia, corría y paseaba por la pradera. Me seguían con sus brillantes, dulces ojos y hasta comían de mis manitas.

Toda la carne (res, cerdo, pollo) que se consumía provenía de esos animales, mas esto era algo que yo ignoraba, porque siempre pensé que era genial que las vacas nos dieran leche y que las gallinas sólo con sentarse producían huevos—para mí, todos morían de muerte natural como la abuela. Mis tías nunca se atrevieron a decirme que la carne de mis recetas favoritas podía haber sido una ofrenda de mi vaca preferida o de un pollo que yo había alimentado. El saberlo me hubiera persuadido a convertirme en vegetariana.

Ahora pienso lo afortunada que fui de que en la Isla la carne de caballo no era parte de la dieta del pueblo, porque montar a caballo era, para mí, un placer único. Y, sabiendo eso, Abu me obsequió uno muy hermoso que nombré Gitano y también un potro dócil que llamé Lucero; sin embargo, Gitano era mi preferido. De color marrón y cola larga, tenía una personalidad fuerte, pero cuando yo le cantaba lo domaba fácilmente y salía con andar distintivo por la pradera al alba. Al irme del país, el animal quedó en la hacienda y un tío político prometió cuidarlo hasta que yo regresara. Los caballos viven, más o menos, treinta años, sin embargo, poco después de yo dejar mi hogar indefinidamente, recibí una carta en donde el tío me explicaba que el potro había enfermado, que no quería comer y que, finalmente, murió. Pienso que seguramente echaba de menos nuestros paseos y el cuidado que yo tenía al trenzar su crin. Por varios años no lo olvidé, pero, poco a poco, su imagen se fue borrando. Ahora solo me queda una foto de Gitano cabalgando por la pradera.

La cocina se extendía más allá del recinto, ya que los hornos de carbón estaban instalados en el patio, al otro lado del jardín, para que el humo no penetrara en la casa. Eran estilo barbacoa y se usaban para asar los cerdos que se consumían cuando las reuniones familiares eran grandes o en las celebraciones de fechas importantes. Había tres, dos grandes y uno más pequeño que era en donde se asaban las aves. En ese horno pequeño se cocinaban, además, los huevos. Se ponían enteros, directamente sobre las brasas. Cuando la cáscara tomaba un color cenizo claro, los retiraban y los pelaban. Probarlos era una fiesta porque así comprobábamos lo delicioso de su sabor, que era ahumado pero no quemado. A mí me arrebataban. Esos huevos duros también los servían cortados en lascas que rociaban con aceite de oliva, adornándolos con perejil picado muy finito.

Muy cerca de la cocina estaban los árboles de marañón y tamarindo. Al amanecer, mientras que el sol despuntaba y la temperatura subía para secar el rocío mañanero, me gustaba sentarme debajo de las ramas y saborear sus frutos al lado de Rocky, mi perro, que siempre me acompañaba. Por todos lados había infinidad de árboles frutales y, hacia una esquina remota, diversas variedades de melones reposaban sobre el suelo.

Mis tías tenían una carpeta en la que estaban apuntadas decenas de recetas, con dibujos de los platos y hasta de las ramitas de las hierbas aromáticas que se usaban. La más joven poseía dotes de dibujante y era la que se encargaba de la parte artística del cuaderno, sus acuarelas eran preciosas y translucientes. Su pintor favorito era Claude Monet, del cual tenía reproducciones de su obra colgadas en la sala. Pero todo eso, como huellas incriminatorias, quedó en la Isla, en donde "las muchachitas" murieron sin yo poderlas ver de nuevo.

Algunas de las recetas de aquel libro casero eran de la imaginación y del puño y letra de mi Abita—la infortunada pereció prematuramente cuando los fármacos para el asma le debilitaron el corazón. Pero la mayoría eran creaciones de las tías y todas, según ellas, deliciosas.

Cuando las preparaban, inundaban la casa de aromas dulces y seductores, que se filtraban a todos los confines de la casona y hasta llegaban a los jardines que estaban al lado de la cocina y que era en donde se sembraban las hierbas aromáticas. Allí se encontraba el perejil, orégano, laurel, cilantro, salvia, romero, tomillo, eneldo, comino, albahaca, mejorana e incluía algunas balsámicas como la hierbabuena, tilo, lavanda, anís y manzanilla, entre otras. Tuve el privilegio de crecer recogiendo esas hojas para llenar cestos y llegué hasta crear, más tarde, infusiones que me han ayudado toda la vida. Quizás son esas imágenes inspiradoras las que me han llevado a gozar tanto de la cocina. Hoy, más allá de preparar remedios caseros, igualmente me gusta leer libros con nuevas recetas y archivar todo artículo culinario que llegue a mis manos.

Para las tías, condimentar alimentos era "como coser y cantar", hasta que se acabaron las "vacas gordas" porque el fisco de la nueva dictadura se lo robó todo. Escasearon los manjares, y las maticas de especias, como vaticinio fatídico, se secaron. Casi toda la familia —salvo "las muchachitas"— allegados y vecinos, incluyendo a Paloma, huyeron al extranjero "a lo von Trapp Family", pero sin la historia cantarina.

La vida sigue

Viviendo en el extranjero y pasado el tiempo, siendo una joven universitaria, aunque ya casada, mi gran placer era invitar a comer a mis amigos poetas, músicos y pintores. Mientras les preparaba los platos, usando productos naturales y todo lo que aprendí de mis tías, la "prole" recitaba poesía y armonizaba con la guitarra y el piano. Un intercambio justo. A menudo, después de recoger los platos, me animaban a cantar jazz y mis boleros cubanos preferidos, acompañada por uno de los guitarristas o con el piano.

Eventualmente el trabajo se interpuso. Y aunque ahora estoy muy ocupada y no hay mucho espacio en mi vida para reuniones ni para recrear platillos, eso no quiere decir que he olvidado el placer de la mesa. Sobre todo el gusto que aún me da disfrutar de celebraciones en familia aquí o en España, o con viejos compañeros, aunque ocurran en un restaurante.

He aprendido que la comida y el vino nos ofrecen la facilidad de relajarnos; eso hace que las veladas sean alegres e inolvidables, como las que yo organizaba en casa. Todavía hoy puedo oír a mis amigos compartiendo anécdotas de esos años. Todo aquel simpático clan, de buen comer, que se deleitaba con mis recetas y con las presentaciones poéticas y musicales de todos los invitados. (Ver apéndice B)

Después de este imprescindible preámbulo,

quiero compartir algunos de los platos que preparaban mis cariñosas tías. Los recuerdo bien por las veces que los he disfrutado, en tiempos de ocio, con toda mi familia.

Siéntanse bendecidos. ¡Ah!, por supuesto, ¡buen provecho!

RECETARIO

Sofrito estilo Isa

4 dientes de ajos bien machacados
1 cebolla blanca mediana picada en cuadritos
1 ají pimiento verde picado en cuadritos
1 ají pimiento rojo picado en cuadritos
¼ de cucharadita de comino (opcional)
3 tomates rojos medianos picados en cuadritos
4 onzas de puré de tomate
¼ taza de vino blanco
½ taza de caldo de pollo o de res
1 chorizo picado en cuadritos (opcional)
¼ taza de jamón picado en cuadritos (opcional)
Pimientos morrones en conserva (opcional)
1 cucharadita de miel o azúcar moreno (opcional)
1 hoja de laurel pequeña
2 cucharadas de aceite de oliva
Sal al gusto, después que se cocine el sofrito

Elaboración:
A fuego lento, se cocina en el aceite la cebolla hasta que se ponga transparente, se le agregan los ajos, el ají verde, el ají rojo, el puré de tomate, la hoja de laurel y la miel o azúcar. Se le echa a esta mezcla el vino blanco y el jamón o chorizo. Se deja cocinar esta mezcla por unos minutos vigilando que no se gaste el líquido. Si es necesario, aquí se agrega un poco de caldo, sin aguar la mezcla. Por último, se agregan los tomates frescos (se echan al final para que no se amarguen), sal al gusto y se prueba para rectificar la sazón. Si va a utilizar pimientos morrones, se le echan ahora picados en tiritas. Al final se retira la hoja de laurel.

Como hay personas que les gusta el sabor pero no la textura de algunos ingredientes, algo que me pasaba a mí cuando era niña, la cebolla, los ajos y los ajíes se pueden triturar en la licuadora para que no se vean en la mezcla.

Este sofrito es magnífico también para echarle al arroz, cubrir los espaguetis y las albóndigas de carne.

Mojo criollo

4 dientes de ajo
2 cucharaditas de orégano en polvo
1 hoja de laurel (opcional)
¼ de cucharadita de comino en polvo (opcional)
1 cucharadita de perejil fresco
½ pimiento verde triturado
1 cebolla mediana molida o en cuadritos
2 onzas de aceite de oliva
6 onzas de jugo de naranja agria o limón verde
Una pizca de tomillo fresco o en polvo (opcional)
½ cucharadita de miel o azúcar moreno
Sal al gusto

Elaboración:
Ponga la cebolla, el ajo, orégano, comino, tomillo, jugo de naranja agria y miel o azúcar, sin cocinar, en un plato hondo de barro o porcelana. No usen utensilios de plástico ni de metal.

Caliente bien el aceite en una sartén, viértalo sobre los ingredientes previos y déjelos reposar unos minutos. Esto hará que se cocinen un poco. Rectifique la sal y los condimentos. Sírvalo con el perejil picado finito.

Se puede servir sobre el bistec o con sus vegetales preferidos. A mí me gusta sobre el arroz integral o los coditos. Es delicioso.

Aunque en la finca se preparaba casi todos los días porque los invitados eran muchos y gustaba fresco, si a usted le sobra, lo puede congelar en potecitos o dejar en el refrigerador hasta tres días. Sin embargo, si desea hacer menos, mezcle los ingredientes manteniendo las proporciones.

Arroz amarillo con maíz estilo Nana
Yellow Rice with Corn

1 libra de arroz
1 taza de maíz
1 taza de guisantes verdes
1 taza de jamón dulce o ahumado picado en cuadritos
1 ají pimiento verde picado en cuadritos
1 cebolla picada en cuadritos
4 dientes de ajo machacados
2 pimientos morrones en conserva
Media taza de aceitunas verdes sin semilla
1 hoja de laurel
Sal al gusto
2 tazas de caldo casero (o en conserva) de pollo o de res
¼ copa de vino blanco
2 cucharadas de aceite de oliva

(La proporción para el caldo de pollo son: 2 tazas de caldo por cada libra de arroz, dependiendo de lo desgranado que a uno le guste).

Elaboración:
En una olla plana y a fuego lento se sofríe el jamón en el aceite de oliva. Se agrega la cebolla, el ají, el ajo y las aceitunas hasta que todo este dorado. Después se agrega el arroz y se sazona con un poco de sal al gusto y se mezcla. Se vigila para que no se pegue al fondo de la olla.

Cuando el arroz esté casi transparente, se le agrega el caldo, que debe estar caliente. El líquido debe cubrir el arroz como media pulgada por arriba de la superficie. Se le agrega el maíz y los guisantes verdes.

Se tapa y se deja secar, hasta que el arroz esté desgranado, firme pero suave por dentro (más o menos 20 minutos). Se vuelve a probar y se ajusta la sal. Si es necesario, se le puede agregar más caldo hasta que el arroz tome la consistencia que guste. Para los que nos gusta más pastoso y no tan desgranado, se le echa un poquito más de aceite al final de la cocción.

Servir:
Se le echa por encima, como adorno, los pimientos morrones de pomo, picados en lascas finitas y unas hojitas de perejil enteras rociadas con aceite de oliva.

Acompañantes:
El arroz se puede servir con huevos duros rociados con salsa de tomate fresco y tomate picado en cuadritos. A los que les gusta la carne, pueden acompañarlo con un bistec de palomilla. También se sirve con palitos de yuca fritos rociados con mojo criollo, o con cualquier otro vegetal o ensalada mixta.

Mis comidas saladas siempre tenían que estar acompañadas con plátanos machos (no se comen crudos) maduros fritos o boniatos bien dulces picados en lascas y fritos. Lo dulce con lo salado me encantaba. Además, es una costumbre muy cubana.

Muñeta estilo Abu/Munyeta

4 huevos batidos
6 cucharadas de aceite de oliva
1 taza de frijoles blancos cocinados con sofrito estilo Isa
1 chorizo picado en cuadritos

Hierbas:
Se le agregan las hierbas que más gusten: por ejemplo, 2 ramitas de cilantro picado finito, 2 cebollines picados finitos y cualquier otra hierba.

Elaboración:

Se calientan en un sartén plano 3 cucharadas de aceite de oliva, se le agregan los frijoles cocinados, sin mucho líquido, y se doran por unos minutos hasta que estén un poco secos. Se separan del calor y en un plato grande se mezclan con los huevos ya batidos, aplastando la masa con un tenedor.

Se echan en el sartén las otras 3 cucharadas de aceite de oliva y, cuando esté caliente, se echa la nueva masa hasta que todo se cocine por los dos lados, como una tortilla. Es mejor usar una sartén antiadherente.

Para adornar:
2 ramitas de perejil bien picado y rociado con aceite de oliva.

Acompañantes:
Usualmente mis tías servían la muñeta con pan campesino de grano grueso, hecho en la finca, mojado en aceite de oliva con ajo machacado. Sobre el pan, una lasca de queso blanco.

Esta era una de las recetas preferidas de mi abuelo, que usualmente la comía junto con un buen pedazo de carne sazonada con ajo y rociado con mojo.

La muñeta es un plato que se come en toda España e Hispanoamérica. Se hace con frijoles blancos o con garbanzos cocinados y, cuando se sirve, parece una tortilla española.

Los frijoles se pueden haber preparados para el almuerzo, y con lo que sobra se puede hacer la muñeta para comer por la noche. Sin embargo, yo, que era muy majadera para la comida, no me la podían servir si no la preparaban en el momento. Tenía que estar fresca. Y las maravillosas cocineras me complacían porque yo era la niña mimada. ¡Qué tiempos aquellos! Ahora, porque no siempre hay tiempo para cocinar, me conformo comprando comida por libra o de take-out de los restaurantes locales; solamente cocino cuando florece la inspiración. No obstante, al no estar la

muñeta en los menús locales, la sigo preparando fresca.
También se pueden usar los frijoles en conserva o precocina-
dos. Yo la sirvo con pan con salsa de tomate y vino blanco.

Pollo en cazuela estilo Zoila
Chicken Casserole

Esta es una de las recetas que le gustaba preparar a mi abuela, especialmente en Navidad. Cuando no
usaba pollo, lo hacía con gallina de Guinea, también
conocida como guineo, que es un ave gris, con pinticas
blancas. El guineo era el ave preferida de mi abuelo
para esta receta.

1 pollo grande cortado en ocho partes
1 limón verde o naranja agria
1 cebolla picada en lascas finitas
4 dientes de ajo machacados
1 ají pimiento verde picado en lascas
1 ají pimiento rojo picado en lascas
½ taza de maíz
1 hoja de laurel
1 pizca de comino
3 cucharadas de aceite de oliva
½ taza de vino tinto o vino seco de cocina
Sal al gusto
6 onzas de salsa de tomate (opcional)
½ taza de papa cortada en rodajas (opcional)
½ taza de uvas pasas (opcional)
3 huevos duros para adornar
½ taza de perejil picado para adornar

Elaboración:
Cortar la mayoría de la enjundia (grasa) del ave;
se le puede dejar la piel. Se adoba con el limón, el ajo y
la sal, se tapa y se deja reposar en el refrigerador por
varias horas para que absorba los sabores. Se echa en la

olla de presión o cazuela profunda el aceite de oliva y el ave con el adobo. Se le agrega el vino tinto (si se usa el vino seco, se cuida de no usar mucha sal porque ya viene condimentado), cebolla, ajíes rojo y verde, maíz, hoja de laurel, salsa de tomate, pasitas y papa.

Si se cocina en olla tradicional a fuego lento, se vira de vez en cuando hasta que se ablande y tome un color rojizo-dorado. Si en olla de presión, se le agregan 2 onzas de caldo de pollo y se siguen las instrucciones que trae el panfleto de la olla, pero no debe tomar más de 15 o 20 minutos el cocinarlo para que quede entero y sin desmenuzarse.

Presentación:

El pollo se adornaba con los huevos duros picados y el perejil. Esta receta se puede comer con arroz blanco o con las rodajas de papas doradas en el adobo, que tenían sabor a pollo asado. O también se pueden eliminar las papas cocinadas junto al pollo y prepararlas como mis tías me las servían: en rodajas finas, doradas en aceite de oliva.

Recuerdo que siempre servían el pollo en una fuente preciosa, que estaba pintada con flores rosadas y círculos dorados alrededor del plato. Las tías habían traído la vajilla desde España cuando fueron a reclamar una herencia. Siempre me decían que sería mía el día que me casara, algo que, al abandonar la Isla—sueños y platos—quedó atrás.

En días festivos, aparte de vino tinto y la sidra asturiana, se servía el "champán catalán", hoy denominado como el famoso cava de Vilafranca del Penedés. A Abita le encantaba. En las fiestas era el único momento en que se daba el gusto de saborearlo. Y también se tomaba el Viña 25 de Domecq, que era un jerez muy dulce y sabroso que se servía después de la comida, acompañado con turrones, buñuelos con miel anisada, dulce de guayaba o de otras frutas— que se confeccionaban en casa—y quesos con sabores muy fuertes. A mí no me servían vino tinto, pero sí me dejaban saborear un poquito de Viña 25.

Picadillo Alenjandrina

1 libra de carne de res molida o ½ res y ½ cerdo
1 cebolla grande picada
6 dientes de ajo machacados
1 ají pimiento rojo picado en cuadritos
6 onzas de puré de tomate
¼ taza de vino tinto
3 cucharaditas de aceite de oliva
Una pizca de comino
½ cucharadita de orégano
Una hoja de laurel
Sal al gusto (probando regularmente)
¼ taza de uvas pasas (opcional)
1 zanahoria picada en cuadritos y ya suave (opcional)
¼ taza de aceitunas sin semilla
¼ taza de alcaparras (opcional)
½ taza de calabaza picada y cocinada firme (opcional)
Pimientos morrones de pomo para adornar
Guisantes verdes para adornar

Elaboración:

Sobre una olla plana pequeña se prepara el sofrito con el aceite de oliva, cebolla, ajo, ají y puré de tomate. En otra olla plana más grande se cocina un poco la carne molida por unos cinco minutos hasta que tome un color marrón y se le agrega un poquito de sal. Entonces se le añade el sofrito, orégano, comino, hoja de laurel y el vino.

Mis tías decían que al picadillo no se le echa caldo ni grasa hasta el final porque la carne siempre suelta su propio líquido y grasa. Ahora bien, si lo notamos muy seco, le podemos agregar un poco de caldo de res y un poco más de aceite de oliva. Recuerden que la sal es al gusto.

Se cocina por 20 o 30 minutos a fuego lento, hasta que esté un color marrón claro. Y se va probando la carne hasta que tome el sabor que nos guste. Se le puede agregar zanahoria picada en cuadritos casi al final de la cocción.

Ya casi cocinado el picadillo, manteniendo la llama baja, se añaden las pasas, alcaparras, aceitunas y los pimientos morrones en conserva, picados en cuadritos. Cocínelo 3 minutos más y listo. Una comida que es fabulosa.

Presentación:

Se sirve el picadillo como lo hacía Isa, en una fuente ovalada, adornado con los guisantes verdes y pimientos morrones picados en tiritas.

Acompañantes:

Calabaza y arroz blanco; medallones de papa que se fríen en aceite de oliva; medallones de boniato frito; plátanos machos maduros fritos; tostones de plátano macho verde; vegetales con aceite de oliva. Este picadillo se le puede agregar a la pasta y también usar en las papas rellenas, empanadas, pastel de carne y cualquier receta que utilice relleno.

Albóndigas estilo Paloma/Beef Meatballs

Porción según el tamaño de las albóndigas

1 libra de carne de res molida (o mezclada con otra)
2 huevos
2 cucharadas de cebolla molida
2 cucharadas de ají pimiento rojo molido
¼ cucharadita de comino
½ cucharadita de orégano
¼ taza de leche
Sal al gusto

1 taza de pan rallado o galleta molida (opcional)

Ingredientes para el sofrito:
¼ taza de aceite de oliva
1 cebolla picada en cuadritos
1 ají pimiento verde picado en cuadritos
6 onzas de puré de tomate
¼ de cucharadita de azúcar
3 dientes de ajo machacados
½ taza de vino tinto
Sal al gusto

Elaboración:
Se mezcla la carne con los ingredientes indicados, se forman las bolitas y se ruedan ligeramente por el pan o la galleta molida. Se pasan entonces rápidamente por el aceite caliente — para dorarlas un poco sin cocinarlas. Se echan en un sartén profundo y las cocinamos a fuego lento en el sofrito por 30 o 40 minutos, según el tamaño de las bolitas.

Acompañantes:
Arroz blanco con vegetales salteados o coditos, boniatos fritos o plátanos machos fritos — verdes o maduros.

Carne con papas estilo Ofelia/Beef with potatoes

1 libra de carne de res picada en cuadros
2 cebollas picadas en cuadritos
6 dientes grandes de ajo machacados
½ cucharada de pimentón rojo sin picante
½ cucharada de orégano seco
½ cucharada de cilantro seco (opcional)
1 ají rojo pimiento picado en cuadritos
6 onzas de salsa de tomate
2 tomates rojos picados en cuadritos
½ taza de vino blanco

½ taza de papas pequeñas sin pelar
½ taza de uvas pasas
1 hoja Laurel
½ cucharadita de tomillo
Sal al gusto

Elaboración:

Ponemos la carne en el caldero, le agregamos la cebolla, el ají, el ajo, el vino y las especias. Así dejamos la carne inmersa en el refrigerador por 4 horas o toda la noche.

Antes del ponerlo al fuego, le echamos la salsa de tomate y lo dejamos que se guise despacio. Cuando la carne está casi cocinada, más o menos 30 o 40 minutos, le añadimos los tomates, las pasas, las papas pequeñas y se dejan hasta que las papas se doren a fuego lento.

Acompañantes:

Se pueden usar las mismas papas del cocido y hacerlas puré agregándole un chorrito de tomate y aceite de oliva. También se pueden preparar papas fritas, cortadas como deditos o en medallones rociados con mayonesa y un poco de pimentón, o con un chorrito de aceite de oliva y pimentón. El arroz blanco o arroz mixto con vegetales es una buena idea. O servir plátanos machos maduros o verdes fritos, o boniato frito.

También se puede servir con una ensalada mixta como se comía en la finca: lechuga, tomate, rábanos, pepino sin cascara, cebolla roja en cuadritos pequeños y berro picado. Mis tías cubrían las ensaladas con un aderezo mezclado con 1 copa de aceite de oliva, 2 cucharaditas de vinagre amarillo, ¼ copa de vino blanco y sal al gusto.

Tortilla española estilo Paloma
Spanish Omelette with French Fries

4 huevos
2 onzas de leche evaporada batida (opcional)
1 cebolla cortada en cuadritos
2 ajíes pimientos rojos cortados en cuadritos
1 cucharada de aceite de oliva
1 taza de papas cortadas en cuadritos y fritas
Sal al gusto
Guisantes verdes y pimientos morrones de pomo

Elaboración:
Se mezclan los huevos, la sal y la leche batida. Se calienta el aceite y se saltea la cebolla y los ajíes; se dejan descansar para que se enfríen un poco. Ahora se agrega la mezcla de huevo a los vegetales y las papitas fritas. Se calienta una cucharada de aceite de oliva en la sartén (antiadherente), se echa la mezcla y se cocina todo a fuego bien bajo, vigilando que no se queme. Con un tenedor de madera la levantamos ligeramente para ver si ya está dorada por debajo. Una vez dorada por debajo, se voltea en un plato y la cocinamos por el otro lado hasta que esté dorada, pero no seca.

Los guisantes verdes y los pimientos morrones en tiras se usan para adornar.

Acompañantes:
Arroz amarillo; plátanos machos maduros o verdes fritos; vegetales fritos; ensalada mixta con aguacate.

Tortilla española estilo Sofía
Spanish Omelette with Ham

4 huevos
½ taza de leche evaporada batida (opcional)
½ taza de jamón picado en cuadritos

1 cebolla cortada en cuadritos
3 tomates pequeños rojos picados en cuadritos
½ taza de aceitunas sin semillas (opcional)
2 ajíes rojos cortados en cuadritos
Sal al gusto
2 cucharadas de aceite de oliva
Guisantes verdes y pimientos morrones de pomo

Elaboración:
Se mezclan los huevos, la leche batida, el jamón y la sal. Se calienta el aceite. Se saltean la cebolla y los ajíes en el aceite. Estos se dejan enfriar un poco. Ahora se agrega la mezcla de huevo a los vegetales. Se calienta una cucharada de aceite de oliva en la sartén (antiadherente), se echa la mezcla y se cocina todo a fuego bien bajo, vigilando que no se queme. Con un tenedor de madera la levantamos ligeramente para ver si ya está dorada por debajo. Una vez dorada por debajo, se voltea en un plato y la cocinamos por el otro lado hasta que esté dorada, pero no seca.

Para adornar:
Pimientos morrones picados en cuadritos, aceitunas sin semillas y guisantes verdes. Todo salteado en aceite.

Acompañantes:
A Abu le gustaba acompañada con sopa de pollo o de ajo. Igualmente con yuca frita cortada en palitos y acompañada con una copita de mojo. También con pan campesino para mojarlo en una salsa de aceite de oliva y ajo machacado ligeramente cocinado.

Tortilla de plátanos maduros estilo Aracely
Spanish Omelette with Maduros Plantains

4 huevos
2 onzas de leche evaporada batida (opcional)

1 cebolla cortada en cuadritos
1 cucharada de aceite de oliva
½ cucharadita de extracto de vainilla
1 taza de plátanos maduros fritos, picados en cuadritos*
Sal al gusto
Guisantes verdes y pimientos morrones de pomo

Elaboración:
Se mezclan los huevos, la sal, la vainilla y la leche batida. Se calienta el aceite y se saltea la cebolla; se dejan descansar para que se enfríen un poco. Ahora se agrega la mezcla de huevo a los plátanos fritos. Se calienta una cucharada de aceite de oliva en la sartén (antiadherente), se echa la mezcla y se cocina todo a fuego bien bajo, vigilando que no se queme. Con un tenedor de madera la levantamos ligeramente para ver si ya está dorada por debajo. Una vez dorada por debajo, se voltea en un plato y la cocinamos por el otro lado hasta que esté dorada, pero no seca.

Los guisantes verdes y los pimientos morrones en tiras se usan para adornar.

Acompañantes:
Sopa de plátano verde y pan criollo, arroz con vegetales salteados.

Croquetas Sofía/Croquettes

Pueden mezclarse las carnes al gusto. A mí me gustan la de pollo y la de jamón dulce.

1 taza de pechuga de pollo sin piel, hervida y molida
1 taza de carne de res o jamón molida
½ taza de harina de trigo
Sal al gusto
1 cucharadita de vino seco blanco

*Por mi manía de endulzarlo todo, a mí me gusta más la de plátanos maduros.

1 cucharada de cebolla molida
1 taza de leche evaporada batida
4 dientes de ajo bien machacados
2 cucharadas de aceite vegetal
1 cucharada de mantequilla
¼ cucharadita de nuez moscada

Empanizado:
2 huevos batidos con una pizca de sal
1 taza de galleta molida
2 cucharadas de almendras molidas (opcional)

Elaboración:

Si se desea, se pueden preparar, por separado, con carne de res, pollo o jamón solamente. En ese caso se usan 2 tazas de la carne. O usar una mezcla de esas carnes, según el gusto.

Se mezclan bien las dos tazas de carne con los ingredientes, excepto los ingredientes para el empanizado y la mantequilla. Derrita la mantequilla en una cazuela, eche la mezcla y cocínela a llama lenta hasta que se forme una masa firme que se despegue de los lados de la olla. Déjela refrescar en el refrigerador por lo menos una hora. Tome la masa por cucharadas y forme croquetas de 3 pulgadas de largo. Páselas por el huevo primero, después por la galleta y, por último, la almendra. Repítalo dos veces. Fría las croquetas sumergidas en aceite vegetal (preferiblemente maní*) bien caliente hasta que estén doraditas.

Acompañantes:

Caldo de res o pollo. A este caldo se le echará, como sazón, tomate fresco, 2 dientes de ajo cortados en láminas, unas ramitas de perejil cortadas muy finitas, un poquito de orégano y comino, una cebolla triturada en la batidora, hoja de laurel, una taza de apio y otra de

*En la finca se usaba la manteca de cerdo para freír, que hoy raramente se usa por sus efectos en el corazón.

zanahoria—en cuadritos—que se cocinarán hasta que se ablanden. Al final, un pepino sin cascara, picado en cuadritos, que se deja cocinar en el caldo por 3 minutos.

Todo se puede servir con arroz con frijoles, de los que más agraden, o vegetales salteados con sofrito o salsa de tomate, ensalada, galletas saladas y queso blanco o amarillo. Las croquetas se sirven calientes.

Sopa de plátano macho verde estilo Ofelia
Green Plantain Soup

4 plátanos
¼ taza de aceite de oliva
1 taza de cebolla triturada
4 dientes de ajo machacados
4 tazas de caldo de pollo
2 plátanos machos verdes
½ cucharadita de comino
½ de cucharadita de annatto (bija) en polvo
1 hoja de laurel
Sal al gusto
¼ cucharada de cilantro (culantro) cortado (opcional)

Elaboración:

Se cortan los plátanos en trozos sin pelar y se ablandan en agua por dos horas. Se pelan y se saltean en una olla con aceite de oliva, juntos con la cebolla y el ajo. Entonces se echan los plátanos y su mezcla al caldo de pollo y se sazona todo con la hoja de laurel, el comino, el cilantro, el annatto y la sal. Ahora hacemos cocinar, a fuego lento, el líquido y los plátanos por 10 minutos. Después se separa una taza de esta sopa con unos pedazos de plátano, desechando la hoja de laurel, y se pasa por la licuadora. Se devuelve este líquido espeso a la olla y se sigue cocinando, a fuego lento, revolviéndolo frecuentemente. Toma unos 20 minutos. Se le agrega más caldo si es necesario.

La sopa se sirve con unas cuñas de limón. Podemos agregarle unas hojitas de perejil picadas en tiritas, o cualquier otra hierba que nos guste.

Acompañantes:

Arroz con salsa de tomate fresco o con un sofrito de hierbas aromáticas como el tomillo, albahaca, perejil picado, cebollines picados muy finitos y pimientos morrones para adornar y darle más sabor al plato.

Ensalada con lascas de jamón dulce o jamón ahumado, queso criollo o queso gouda Gallo Azul, con galletas cubanas grandes. Este queso es mi preferido.

Sopa de plátano macho maduro estilo Ofelia
Maduros Plantain Soup

4 plátanos maduros*
2 dientes de ajo cortado en láminas finitas
4 tazas de caldo de pollo
1 taza de leche evaporada
1 pizca de sal
Unas goticas de vainilla
Mantequilla sin sal

Elaboración:

Corte los plátanos en rodajas de media pulgada y hiérvalos con la cáscara hasta que se ablanden. Pele y saltee un poco los plátanos en mantequilla dulce. Se cocina el plátano hasta que esté dorado y se le agrega el ajo en láminas, levemente cocinado. Ahora mezcle el plátano con el ajo y la mantequilla en una licuadora. En una olla, eche las tazas de caldo de pollo, la leche evaporada — para hacer la sopa cremosa — y las gotas de vainilla, junto con la mezcla de la licuadora y se deja que hierva una vez. Después se baja la llama y se sigue

---

*Plátanos: la cáscara debe de estar color marrón y, al pelarse, adentro debe de lucir un amarillo intenso.

cocinando por 15 o 20 minutos, manteniendo la sopa espesa y revolviendo frecuentemente. El espesor de la sopa es al gusto, controlándolo con el caldo de pollo. Se le echa la sal y se prueba hasta que quede al gusto. Al servir la sopa, se puede rociar con hierbas aromáticas de su preferencia y pimentones morrones rojos picados en cuadritos.

Acompañantes:

Hojuelitas o mariquitas (cubanismo) de plátano macho verde, cortadas finitas y fritas, para echarle a la sopa al servirla (esto le dará un toquecito crujiente); papitas fritas picadas "a la juliana"; sofrito de hierbas aromáticas como el tomillo, albahaca, perejil picado, cebollín y pimientos morrones picados en tiritas. El sofrito o salsa se puede usar para rociar las papas o para agregarle un poquito sobre la sopa. Es una buena idea, al servir, ofrecer lascas de jamón dulce, huevos duros, queso criollo y galletas cubanas grandes.

Fufú de plátano macho verde estilo Raquel*
Green Plantain Puree

Se aprovecha que se está haciendo la sopa para preparar el fufú. Esto no es más que un puré de plátano, al que se le agrega pedacitos de tocino cocinado o chicharrones crujientes.

4 plátanos machos verdes
1 cebolla mediana triturada
¼ taza de aceite de oliva
4 dientes de ajo machacados
Jugo de un limón verde
1 cucharadita de pimentón rojo en polvo
Sal al gusto

*Esta receta acepta también el plátano macho pintón: entre verde y maduro—es mi favorita.

Elaboración:

Se ponen a hervir los plátanos con su cáscara, cortados en medallones de 1 pulgada de largo. Después, con los plátanos ya pelados y blandos, se aplastan hasta formar puré. Entonces, en una sartén se pone la cebolla y el ajo, el pimentón y el aceite. Este sofrito se cocina unos minutos a fuego lento hasta que el aroma se sienta y se le agrega a los plátanos aplastados. Mezcle bien todos los ingredientes. Pruebe la sal y haga correcciones al gusto. En la finca también se le agregaba al fufú masitas de puerco picadas en cuadritos y fritas.

Fufú de yuca estilo Raquel
Cassava Puree

También "las muchachitas" preparaban el fufú de yuca, sazonado con mojo. La receta, que según las tías fue inventada por ellas, se hace usando la deliciosa yuca que a veces quedaba del día anterior y que ya estaba sazonada con mojo. Se siguen los pasos del fufú de plátano.

Acompañantes:

Bistec, carne asada en vino y tomate fresco o lascas de cerdo y ensalada de aguacate.

Frituras de malanga estilo Alejandrina
Taro Fritters

1 libra de malanga
1 huevo
1 cucharadita de polvo de hornear*
2 dientes de ajo bien machacados
¼ cucharada de vinagre
Sal al gusto

*Este polvo contiene bicarbonato de sodio, pero también contiene cremor tártaro y fécula. No use bicarbonato puro.

1 ramita de perejil picada finita
4 cucharadas de aceite vegetal

Elaboración:
Se pela la malanga y se ralla — o se tritura en la batidora estando cruda. Se une con la sal, huevo, polvo de hornear, perejil, ajo y vinagre. Se pone este puré por un rato en el refrigerador. Se toman porciones de la mezcla con una cuchara y se echa en el aceite vegetal caliente, pero no hirviendo, que cubra las frituras. Se van virando hasta que se cocinen a fuego bajo por los dos lados, así se cocinan por dentro, que es importante. Se sirven acabadas de freír con una salsa de aceite de oliva y ajo. Esto da para 20 o 30 frituras.

Acompañantes:
Sopa; arroz con cualquier frijol; lascas de jamón dulce; galletas cubanas.

Frituras saladas de maíz estilo Ana
Salty Corn Fritters

1 libra de harina de maíz gruesa
1 cebolla triturada
2 dientes de ajo machacados
1 huevo grande
4 onzas de granos de maíz
Mitad de un ají pimiento verde molido (opcional)
Mitad de un ají pimiento rojo molido (opcional)
¼ taza de cebollines, picados finitos.
Perejil triturado (opcional)
Sal al gusto

Elaboración:
Se mezclan bien todos los ingredientes con la harina y se hace una masa que tenga consistencia, no aguada. Se le pone sal al gusto, siempre probándola.

Para freír:

Se recoge la mezcla con una cuchara grande y se deja caer en una sartén en la que ya hay aceite vegetal caliente, pero no hirviendo, que cubra las frituras. Se vigila y se viran para que se doren por los dos lados. Se depositan en un papel para que recoja el aceite sobrante. Produce de 15 a 20 frituras.

Frituras dulces de maíz estilo Ana
Sweet Corn Fritters

1 libra de harina de maíz gruesa
¾ taza de azúcar moreno
1 huevo
4 onzas de granos de maíz
½ cucharada de polvo de hornear
1 cucharadita de extracto de anís (opcional)
1 cucharadita de extracto de vainilla (opcional)

Elaboración:

Se mezclan bien todos los ingredientes con la harina y se hace una masa que tenga consistencia, no aguada. Si desea, le pone una pizca de sal al gusto, siempre probándola. El polvo para hornear es para que crezcan.

Se recoge la mezcla con una cuchara grande y se deja caer en una sartén en la que ya hay aceite vegetal caliente, pero no hirviendo, que cubra las frituras. Se vigila y se viran para que se doren por los dos lados. Se depositan en un papel para que recoja el aceite sobrante. Produce de 15 a 20 frituras.

En estos tiempos se pueden hacer con crema congelada de maíz o crema de lata ajustando la cantidad de harina para que no quede aguada y servir con almíbar de anís. En la finca se rociaban con melaza ligera.

Esta receta dulce la hacían mis tías todos los fines de

semanas, cuando yo visitaba. Sabían que era de mis preferidas. Yo siempre ayudaba, con gran alegría, a mezclarlo todo. Era lo único que me dejaban hacer. Por lo demás, me tenía que consolar con mirar.

Es una lástima que en estos tiempos, con la preocupación de no engordar, hemos perdido el placer de saborear las frituras.

Berenjena empanizada estilo Tina
Breaded Eggplant

Este es uno de los pocos vegetales que me gustaba comer de niña. Creo que me llamaba la atención lo brillante que era su cáscara de color morado.

Se usa una berenjena mediana sin pelar. Se corta en lascas de ¼ de pulgada de espesor y se le agrega un poco de sal. Se pasan las lascas por huevo batido y galleta o pan molido solamente una vez. Se cocinan en aceite vegetal mínimamente sumergidas hasta que se doren.

Acompañante:
Usualmente las servían con bistec frito en aceite vegetal con ajo picado en lascas finas y sal, y una ensalada de tomate maduro o verde, pepino sin cáscara picado en trocitos, col y lechuga picada muy finita, con un aderezo simple de aceite de oliva y vinagre.

Huevos fritos estilo Paloma
Fried Eggs with Spanish Sausage and Potatoes

No podía faltar esta receta porque era y es aún una de mis favoritas. Parece no tener ciencia, pero tiene su truquito.

2 huevos
Aceite vegetal
Chorizo español

Papas para freír

Lo huevos se fríen en una sartén honda con suficiente aceite para cubrirlos—en aquella época, en la que no se mencionaba mucho el colesterol alto, en vez de aceite se usaba manteca de cerdo y todo sabía delicioso. Cuando el aceite está caliente, se echan los huevos. Con la clara ya completamente blanca, se separa la yema y la clara se pica en tiritas finitas para que se dore más rápido. Mientras tanto, la yema se deja en la sartén para cocinarla al gusto. A mí me gustaba suave para mezclarla en arroz blanco o con papas fritas cortadas en cuadritos. Después de sacar la yema y la clara, el chorizo se picaba y se cocinaba.

El chorizo se podía echar sobre el arroz o las papitas, que tomaban un color rojo por el pimentón del chorizo. Se acompañaba con plátanos machos bien maduros y fritos.

Ensaladas siglo XXI/Salads

De niña nunca comí ensalada. Es más, no probé la lechuga hasta que tuve 15 años. Pero ahora, como parte de mi dieta, no hay un día en que no elaboro una deliciosa ensalada de lechuga mixta o espinaca, con vegetales y hierbas aromáticas. También le agrego garbanzos cocidos, huevos duros, varios pedazos de frutas o uvas negras enteras, almendras, nueces, avellanas y queso. Todo lo cubro con aderezos* muy creativos, hechos en casa, que duran una semana en el refrigerador.

Aderezo:

Hoy uno de mis preferidos es el siguiente, que se puede disfrutar frío o caliente para cubrir vegetales o ensaladas. El secreto de la cocina es ir probando la

---

*No compro aderezos comerciales porque utilizan mucha sal, azúcar e ingredientes artificiales para conservar el sabor y extender la vida del producto.

receta para saber si debemos de agregarle los ingredientes al gusto.

2 cucharadas de vinagre blanco o con sabores
½ copa de aceite de oliva
1 cucharadita de mostaza carmelita
½ cebolla triturada
½ ají pimiento rojo triturado (opcional)
2 dientes de ajo bien machacados
4 hojitas de menta o de albahaca
1 cucharada de miel de abeja
½ cucharadita de cáscara de limón rallada
Sal al gusto

Se colocan todos los ingredientes en la batidora hasta que se haga la mezcla líquida y se sirve sobre ensalada o vegetales.

POSTRES/DESSERTS

Merenguitos/Small-Portion Meringue

4 claras de huevo
½ cucharadita de cremor tártaro (opcional)
Una pizca de sal
1 taza de azúcar blanca o moreno
1 cucharadita de ron
½ cucharadita de extracto de vainilla
4 almendras en lascas finitas
Cáscara de limón verde rayada al gusto (opcional)
2 cucharaditas de jugo de limón (opcional)*

Se baten las claras en velocidad baja y, cuando se empiecen a ver esponjosas, se le va echando la sal poco a poco. Entonces se pone mediana velocidad y se le agrega el azúcar y el ron, poco a poco otra vez, hasta

*El jugo de limón se usa para hacer a los merenguitos más esponjosos por dentro y crujientes por fuera.

que vemos como se forma el merengue.

Se puede agregar, pero despacio, polvo de cocoa, canela en polvo, coco rallado, dulce de crema de leche, goticas de naranja o cualquier otro ingrediente o sabores que nos guste. Si es con coco, se rocía con coco rallado azucarado antes de poner el merengue en el horno.

Se ajusta el azúcar al gusto. Se prepara una placa de horno rociado con mantequilla o se cubre con papel de hornear. Se forman los merengues dejando caer con una cucharada de mezcla o con una manga especial de pastelería con punta de estrella.

Se hornea a 275° F por 25 o 30 minutos. Los ingredientes para hacer los merengues pueden ser muy variados y son la clase de dulces que gustan a mayores y a niños.

Crema de fruta fresca/Cream of Fresh Fruit

2 tazas de pulpa hecha puré
4 onzas de azúcar blanca o moreno
4 onzas de miel
Una pizca de sal
1 taza de merengue o de crema batida
Hojas de menta

Elaboración:
Se baten las claras en una mezcladora, depositando el azúcar, la miel y la vainilla lentamente mientras se forma el merengue hasta que empieza a ponerse esponjoso y se formen picos sólidos.

Ahora se le añade la pulpa, poco a poco, usando pulpa que esté fría o del tiempo. Cuando todo quede perfectamente mezclado, se vierte el contenido en copas de postre, se le pone una hoja de menta encima a la crema y se enfrían en el refrigerador. La consistencia de la crema debe ser firme.

Las frutas que se usaban en la finca incluían el mamey, el mango, la guanábana, la guayaba y la fruta bomba o papaya. Como las frutas en la finca eran muy variadas según la época, siempre había alguna que se podía usar para la receta. Paloma también inventó usar melocotones y piña en lata o compotas de frutas para bebés, a los cuales le ajustaba la cantidad de azúcar.

Buñuelos de plátano macho
Maduros Plantain Sweet Fritters

2 plátanos machos maduros
4 plátanos machos pintones
1 huevo batido
Sal al gusto
½ taza de harina blanca
1 cucharada de azúcar morena
Canela para rociar
Azúcar en polvo para rociar

Se hierven los plátanos agregándole al agua media cucharadita de sal. Deben estar sin cáscara y picados en tres partes. Se dejan hasta que se ablanden, pero no muy suaves para que no se peguen en los dedos al formar los buñuelos y para que no se deshagan.

Se retiran los plátanos del agua y se dejan enfriar en un papel absorbente para que suelten el agua. Entonces hacemos un puré, echando el huevo batido y, poco a poco, la harina blanca y el azúcar moreno. Se mezcla todo y se le puede agregar un poco más de harina, si es necesario, hasta que la masa tenga la consistencia para formar los buñuelos. Estos pueden ser redondos o en forma de número ocho. Se fríen cubiertos de aceite vegetal hasta que estén dorados.

Para servir:
Se rocían con azúcar y canela en polvo o con

almíbar de anís o melaza. En la finca se servían en la Navidad. Por estos tiempos, y porque viví en Nueva Inglaterra, me gusta endulzarlos con sirope de arce (maple) puro.

Torrijas/Cold French Toast

Se desconoce cuál es el momento exacto en el que las torrijas comienzan su etapa, sin embargo, se cree que datan de la Edad Media. Eventualmente, la receta se difunde por toda España e Hispanoamérica, en dónde se extiende pronto para uso en las casas familiares. Probablemente su origen parece haber sido en los conventos, para así aprovechar el pan que sobraba. Allí nada se podía desperdiciar, especialmente el pan.

12 rebanadas de pan de flauta del día anterior
4 huevos
2 tazas de leche
Azúcar en polvo
Canela en rama y molida
Mantequilla para freír
½ cucharadita de extracto de anís

Se corta una barra de pan francés (o cubano de aceite) en rodajas de 3/4 pulgadas y se calienta la leche con una ramita de canela y el anís. En otro plato, revuelva los huevos y mézclelos bien.

Moje las rodajas en la leche por 30 segundos, las escurre un poco y, sin gotear, páselas por el huevo batido.

Sobre una sartén antiadherente con mantequilla caliente, deposite cada pedazo de pan mojado en leche y huevo y proceda a freír hasta que las torrijas estén doradas.

Una vez fritas, se dejan enfriar y se rocían con canela molida y azúcar en polvo. En la finca las rociaban con almíbar anisado o melaza.

Natilla/Custard

32 onzas de leche
5 yemas de huevo
2 cucharadas de maicena (fécula de maíz)
¾ taza de azúcar
1 cucharadita de extracto de vainilla
Cáscara de limón amarillo
Cáscara de naranja (opcional)
Canela en rama

De las 32 onzas de leche, separe 8 onzas y ponga el resto a calentar con una rama de canela. Cuando la leche empiece a hervir, baje el fuego y deje que hierva durante cinco minutos a fuego muy lento.

En una batidora, mezcle la maicena y las 8 onzas de leche apartada hasta que se disuelva la maicena completamente. A la batidora ahora le echa las yemas de huevo y el azúcar.

Con la batidora andando, eche, poco a poco, la leche caliente sin la rama de canela. No deje de batir el líquido hasta que se haya incorporado todo. Aparecerá espuma en la superficie.

De nuevo vierta todo el líquido en una cazuela y póngalo al fuego con las cáscaras de limón y naranja. La llama debe estar baja para que no se pegue el líquido y se queme la mezcla. Siga removiendo el líquido con una cuchara de madera, hasta que la espuma desaparezca y se espese la natilla. Toma unos diez minutos. Retire las cáscaras del limón y de la naranja. Separe la mezcla del fuego por última vez y vierta la natilla en copitas o en una fuente. Una vez que baje a temperatura normal, cúbrala con papel transparente o filme plástico, tocando la mezcla para que no forme una capa dura, o la puede barnizar con mantequilla derretida o espolvorear con azúcar. Cuando se enfríe, rocíe todo con canela molida. Si desea puede cubrir la copa con caramelo líquido o con miel. Hay personas que reciclan las cáscaras de limón y naranja agregándole un poco de azúcar y licor de naranja, que vierten sobre la natilla. Sírvala con galleticas dulces.

A mi Abu y a mí nos gustaba más la natilla estilo crema catalana, como la que comía su padre, Josep. Éste es un postre catalán, típico de fiestas, sobre todo el día de San José, celebrado el 19 de marzo. Se dice que ya por el siglo XIV se conocía este postre en Cataluña.

En este caso la receta se hacía más líquida que la natilla y se servía con una capa de caramelo en la superficie. A Paloma le quedaba riquísima. Recuerdo que se ponía un delantal y una careta, a prueba de fuego, para usar un soplete de cocina. Parecía una astronauta. En esos momentos nos hacía desternillar de risa a Isa y a mí. La idea era caramelizar el azúcar, formando una capa dura como una especie de lámina crocante, que brindaría un sabor tostado.

ÁLBUM DE UNA NIÑA REVOLTOSA
ALBUM OF A MISCHIEVIOUS GIRL

Isa y la autora

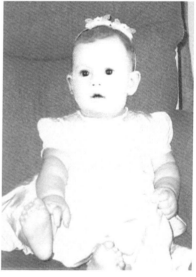

Elenita

En el conservatorio Rocío de Cádiz

Con la maestra Esther

Gitano

Primer día de clases

Montando a Lucero

Rocky, mi primer perro

En la casa de la playa

EPÍLOGO

La idea de esta pequeña obra se me presentó después de escribir el relato "La finca", que aparece en mi libro de cuentos, *Más allá del azul* (2013). Me entusiasmé con lo que compartí y con mis reminiscencias de familia. Me di cuenta de que, además de narrar los recuerdos de mis vivencias en Cuba, quedaba todavía mucho más que contar, sobre todo de aquella época de mi niñez envuelta en la calidez de mis parientes. Son los pasajes importantes de mi vida que no pudieron arrebatarme las autoridades al yo salir de la Isla. Experiencias que no deseaba que quedaran en el olvido. Es por eso que decidí publicar estas recetas, con un exordio y un colofón en que defino quien fui y como espero ser recordada. Y confieso que es el libro que más me ha gustado compartir. Una obra repleta de sabores agrios y dulces, como es la propia vida, y de los aromas de esas memorias placenteras que perduran.

Alegremente les he brindado la cocina de "las muchachitas", mis bellas tías. Como dije al principio, preparaban decenas de platos, de los que he seleccionado aquellos que recuerdo y que más me gustaban. Si nunca llegan a elaborar estas recetas, sé que al menos les agradará leerlas, junto con algunos comentarios que a veces les agrego. Fueron los platos básicos de la Isla en aquellos tiempos y de la cocina criolla de mis tías. El evocarlos me llenan de gozo y también de una nostalgia difícil de reproducir. Sé muy bien que esos años jamás regresarán. Son los tiempos de la Cuba "eterna", como expresaba José Sánchez-Boudy en *Estampas de la Cuba Eterna* (2009).

Esto, por supuesto, nos trae a Miami. Una metrópolis americana y sureña donde se degusta y elogia la mejor comida cubana como en los tiempos de antes. Los platos que se elaboran están llenos de ingredientes fragantes y frescos, algo que ha faltado en la Isla desde hace más de medio siglo. Aquí, en el sur de la Florida, podemos curar la melancolía por nuestra idiosincrasia en restaurantes criollos* como La Habana Vieja, Larios, La Carreta, Versailles, Río Cristal, Rancho Luna, y mil más.

En consecuencia, ahora me queda asegurarles que, a pesar de las impactantes experiencias de mi vida, la desaparición, primero, de mi mimosa abuela, después la de mi adorado Abu y, más tarde — a medida que el tiempo se agotaba para todos nosotros — de familiares cercanos que no volví a ver, y el trauma que me causó el alejamiento forzado de la tierra donde nací, he sido feliz. Así decidí serlo desde que desarrollé el poder analítico y una voluntad férrea. Me siento dichosa. Estoy satisfecha y agradezco que aún me encuentro aquí, porque amo la vida con todas sus altas y bajas, y sé que siempre encontraré un universo grandioso. Por lo tanto, mis compañeros en letras me llaman: "Optimista incorregible" y la "eterna romántica". Sí, la mayoría de las veces lo soy. Como escribió la insigne Gertrudis Gómez de Avellaneda en su novela *El artista barquero*: "Tan cierto es que la felicidad y aun lo mismo el dolor sabe hacer desplegar al hombre vigor y fuerzas, que no parecen posibles en la normal existencia".

El secreto de la vida al perder, es buscar y aceptar con regocijo lo que encontramos, para después seguir explorando. Hoy les deseo que puedan lograr una existencia espléndida y un mundo rebosado de poesía, colores y aromas exquisitos.

---

*Creamer, Colleen. "In Miami, Cuban Culture, No Passport Required" Online *New York Times* [NY] 7 Apr. 2016.

APÉNDICE A

"Tienes una voz muy afinada", me decía enfáticamente — y para mi deleite — Ricardo García Perdomo, después que me oyó cantar. El legendario compositor de *Total* — traducido y cantado alrededor del mundo un millón de veces — me pidió mi interpretación de esta melodía una noche en el Jensen's de La Pequeña Habana. En ese lugar nostálgico, donde canté como invitada durante varios años para mantener mis publicaciones literarias — *LSR* y *Ambos Mundos* — a flote a través de donaciones, García Perdomo también me dijo mientras se marchaba: "Si quieres *Primavera* — su última composición — es tuya". Fue él quien me animó — antes de caer enfermo — a grabar boleros tradicionales; el CD vio la luz pocos años más tarde. Los videos musicales de dos de las canciones, *Cómo* y *La Puerta*, se pueden ver en YouTube. He disfrutado inmensamente compartiéndolos con amigos y colaboradores. También el compositor — *La noche de anoche* — y director de orquesta, René Touzet, afamado en el Hollywood de los años 40 y 50 — dio una gran interpretación de jazz en el filme *Criss Cross* (1949) — me rindió su reconocimiento y un comentario para la portada del CD. Su entusiasmo fue tal que me pidió que grabara ocho de sus canciones favoritas con él al piano. Por desgracia y mi gran pesar, mientras viajaba con mi familia por España, René fallece dormido antes de que el proyecto se iniciara. Sin embargo, lo pudimos filmar en un documental — dirigido por Felipe Nápoles — que residirá con los archivos cubanos de la Universidad de Miami.

APÉNDICE B

Las invitaciones a mi casa atrajeron a algunas de las "vacas sagradas" del mundo del arte. Pintores como Enrique Riverón, Teok Carrasco y la *impresionista* Berta Randín, que realizó mi *Retrato en azul* que ahora cuelga en la sala de mi casa. También otros amigos asistían: los pintores Miguel Nin—primo de Anaïs Nin, cuyos lazos genealógicos con el apellido Güell incluye a mi esposo, Jerry—Raulito Cremata, que posteriormente poseyó una galería de arte en Little Havana, Agustín Gaínza y Gilberto Marino, que intentó pero nunca llegó a ser un pintor célebre—él hizo un encantador retrato de mi hija Yasmin.

Los domingos por la tarde eran los mejores, ya que el número de artistas crecía y algunos de ellos también traían sus trabajos. Los visitantes incluyeron al escultor Tony López y su esposa Esperanza, que nunca faltaba a las festividades; los escritores José Sánchez-Boudy y Hortensia Ruiz del Vizo, su esposa; los profesores Ellen Lismore de Leeder, Leonardo Fernández Marcané y Ofelia Hudson. Algunos de los escritores no paraban de hablar, pero otros leían sus últimos trabajos. Entre ellos se encontraban los novelistas Juan Carlos Castillón—que volvió a su natal Barcelona—Carlos Victoria, Manny Serpa, Enrique Labrador Ruiz—y su esposa Cheché—el historiador anarquista Frank Fernández, el dramaturgo Nilo Cruz, el director de teatro Julio Pedro Gómez y el cineasta y guionista Orestes Matacena, sobrino nieto del famoso patriota, escritor y político italo-cubano Orestes Ferrara, y primo del famoso intelectual Jorge Mañach Robato.

Los poetas eran numerosos: el ex capitán rebelde Roberto Cruzamora, Jorge Oliva—se fugó nadando hacia la base naval de Guantánamo—Concha Alzola, Amando Fernández, André Avellanet, Alberto

Muller—cumplió veinte años en los gulags cubanos—y, de vez en cuando e incógnito, mi buen amigo y descentrado prosista, Roberto Yanes—se pegó un disparo en el pecho—se detenía a disertar. Todos talentosos y eruditos, que nos ofrecían sus nuevas creaciones.

Por último, difícil de olvidar por su dinamismo concertado, a René Touzet le gustaba tocar el piano y cantar sus propias composiciones. Estos motivitos incluyeron a menudo a la cantante y pianista Vicky Roig, llevada de la mano por su galán del momento, Alberto Muller. Y para añadir siempre una *nota* histórica, el musicólogo Hall Estrada—organizador del primer festival del Bolero, celebrado en F.I.U., donde canté con el maestro César Morales al piano—nos instruía con sus conocimientos.

ÁLBUM DE "DÍAS DE VINO Y ROSAS"
"DAYS OF WINE AND ROSES" ALBUM

Parados: La autora y Jerry. Sentados: Noela y Enrique Riverón, Raulito Cremata, Agustín y Esther Gaíza.

Parados: Juanita Mazar, Gilberto Marino, la autora. Sentados: Marta Blair, Yasmin, Teok Carrasco.

La autora, Marta Blair, Cheché y Enrique Labrador Ruiz.

Tony López, Roberto Cruzamora y Cuco Arias junto a la mesa de estilo japonés que Jerry diseñó.

René Touset y la autora

Enrique Riverón y Agustín Gaíza. Atrás, la piscina interior
de la casa que Jerry diseñó.

Gilberto Marino, Marta Blair, la autora , Concepción y Heriberto Costales.

La autora con Berta Randín

El pintor Marino y la autora bailando sevillanas. Atrás, pintura realizada por Riverón en la portada de este libro.

La autora y Ellen Lismore de Leeder listas para una noche flamenca.

Juanita Mazar, Marta Blair, Lars (novio de Carlota), Marino, Carlota—pianista venezolana—la autora, Mª del Carmen. Abajo: Jerry, Yasmin.

Gloria, Enrique Riverón, la autora, Patricia (hija de Riverón). Parado: Jerry

Celebrando el 50ª aniversario del filme Casablanca: Parados: Jerry, Manny
Serpa, Frank Fernández, Carlos y Maritza Molina, Juanita Mazar. Sentados:
Juan Carlos Castillón, la autora, Arlette Serpa, Pat, Teresita Fernández.

Cumpleaños de Miguel Nin: Hall Estrada, la autora, Miguel,
Gilberto Marino, Marta Blair.

Atrás: Heriberto y Concepción Costales, Julio Gómez, Juan Carlos
Castillón, la autora, Gilberto Marino, Carlos y Maritza Molina.
Sentados: André Avellanet, Yasmin, Jerry.

Jerry—hijo de la autora con su cuaderno de dibujo que compartió
con Enrique—Berta Randín, Enrique Riverón y la autora.

Luis Marcelino Gómez, Gilberto Marino, Juan Cueto-Roig, Miguel Nin, Leonardo rnández Marcané y Carlos Molina celebrando el año en nuestra casa de Coral Gables.

Escritora y pintora boliviana Mireya Urquidi, prima de la "Tía Julia", primera esposa de Mario Vargas Llosa, con la autora.

TO MY LIKING
The Cuisine of the "Girls"

INTRODUCTION*

Because truth is never absolute, writing a self-portrayal, even one that is short and enjoyable, is no easy task. Therefore, what I have written is as unerring as possible. Through anecdotes and photographs I have attempted to show my many facets: emotional, family, social and intellectual; in short, details of my personality. In as much as I love to share, I have tried to be sincere and not just display my virtues, but also expose my shortcomings, a difficult thing for one to do. To mind comes a dedication in a book a good friend wrote: "To Nilda, who laughs at my jokes and not at my mistakes".

*More up-to-date cooking directions with similar ingredients could be found online; therefore, only the names of the recipes were translated.

A t the beginning — my years on the farm.

My unattached aunts, affectionately known as "the girls", sisters of my handsome-like-a-Hollywood-star dad, were pious, naive, beautiful, and still lived with their father, my grandfather. Their sisters-in-law, who married their four brothers (together they were eight) very young, referred to them as *"las quedadas"*, a colloquial meaning close to "the ones left on the shelf." Considering that in those days at twenty-five a single woman was considered a "spinster", the moniker, although somewhat merciless, fitted well. The older one of the two was twenty-seven years old and the one who followed, twenty-five. It is possible they dreamed of meeting the Shining Knight they read so much about. Nowadays, after reviewing those moment of yester-years, I'm sure they had never felt the heat of passion, and probably even worse, had never — even remotely — heard of the term. In all fairness, sex was something nobody dared to speak about in those days. I suppose an unfledged pleasure flowed from them during their readings of the romance novels — of which they had an abundant collection — which they kept out of my reach. But I suspect their greatest joy came by way of the kitchen and their unique recipes. I still hear echoes of that very expressive phrase they uttered on entering the kitchen. Rubbing their hands together they would pronounce: "let's put those idle hands to work." I imagine that was for the only purpose they would enjoy using their hands.

Beginning Friday, every weekend my parents took me to my grandfather's hacienda so that I could enjoy it and learn from country life. I remember that in the main house they had two permanent helpers. One was named Paloma, who was born in the Spanish region of Galicia. She was a live-in. The younger one, the daughter of a Cuban mother and a Chinese father, was called Isa. She slept in her own home, however, and would get annoyed with Paloma's regional accent, which she could not understand. Most of the time they argued and I laughed from the fuss they both made.

From the goods generated by the ranch, which were many and plenty, the cooks were in charge of preparing all kind of foodstuffs using corn, eggs, milk and every type of produce. They would clean, grate and grind the corn, that wonderful grain that the Galician cook refused to eat because she said it was pig feed.

In that soil, which is very fertile, corn ears grew huge. Paloma kept the husks between sheets of gauze to later use them to wrap the delicious corn tamales that for years were enjoyed by the extensive family.

Because we were many — between family, laborers and visitors — in addition to the two cooks, several times a week other girls, whose names I don´t remember, were hired to help. They prepared desserts, rices, meats, soups and Spanish tortillas. But mostly they chopped the peppers, onions, garlic, tomatoes and some of the other vegetables to add to the sofrito or marinade. I remember how they blended the mixture, already minced, and sautéed it in a pan to then place it in a glass bottle which they sealed. These were stored in the fridge for quite some time, for later use.

Paloma made a country bread from an old recipe handed down from my great-grandmother, whose family was from Málaga, Spain. My grandfather, or Abu, as we called him, liked to eat it as a snack with white cheese, stuffed olives and fried sardines, accompanied with a good glass of red wine, preferably from the Torres* wineries.

*In Cuba, my grandfather's father was friends with Jaime Torres, founder of Bodegas Torres in Vilafranca del Penedès, Spain. I had

They also made *muñeta* every Saturday. A Spanish dish consisting of navy beans and spices, which my grandfather loved. Abu, born in Cuba, was the bearer of a proud Castilian-Catalonian heritage that, according to my mother, could have included exotic drops of Asian blood and other interesting fusions. The *muñeta* he shared with friends who, like him, were veterans of the Cuban War of Independence from Spain (1895-1898). He had joined the fight of the insurgents very young and was one of the lucky ones who survived the fighting, disease and hunger. He later married my grandmother, a beautiful Creole of Spanish ancestry who was fifteen years his junior. His many friends always came around to exchange impressions on local politics and issues of the moment while playing dominoes.

Following religious tradition, another practice in the household was to eat fish every Friday. Something that today seems odd to me, for my grandfather never went to church and failed to show any catholic inclinations. The only way I would eat fish was breaded and fried, from a recipe they called "Minutas de pescado". Moreover, it was not until I was out of high school in Boston—where seafood is a most coveted dish—the metropolis where I grew up after my world was shattered, that I finally had the courage to try unbreaded fish. Surprisingly, because it is so beneficial, it is what I consume exceedingly now.

My aunts, besides being pretty, were also very interesting women. Because they were bored living on a farm, they insisted on helping in the kitchen, when they were not embroidering, competing at canasta, playing the piano or writing poetry. Of course, they wore

the good fortune to tour their winery and taste their varieties, all of which I found delicious, especially their 20-year brandy, which we still consume at home.

gloves when they joined Paloma in those tasks and thus took great care of their nails, which they usually covered with whatever color was in vogue. In addition, hair nets to protect — not the food — their hairdos was a must, which they kept soft and wavy, like a Hollywood star. Abu, in jest, called them "my German governesses".

Every week a beautician would stop by the house to style their hair, and because my aunts insisted everyone should look coiffured, they provided the same for the help. To them, appearance was indispensable to induce self-esteem — a lesson that did not fall in deaf ears, and I practice to this day.

Etched in my memory there is a little room they had set up to look like a miniature beauty parlor. It was located away from Abu's office, for he was bothered by the loud laughter when the girls got together for their weekly "soiree." I was fascinated by the place and loved to play there, put on all sorts of multicolor eye shadows, and sprinkle myself with perfume and hairspray. Every time Isa found me there messing up the lipstick and mascara, she would chase me from the room. Those are nice memories of a charmed age.

The sun is radiant and the surf is frothing... *

In the summers my aunts relocated to the beach at Santa Fe and took me with them. Abu had bought a cottage by the sea and it was in those waters that I learned to swim like a fish. The summer residence had a porch that went all around, with large windows and doors. In that way my grandmother, who suffered from asthma, could improve her condition and enjoy the cool breeze of that rocky shore. At dusk, my aunts played the old piano the former owner of the house had left

*From the first line of the poem "The Little Rose-colored Shoes" (*Los zapaticos de rosa*) by José Martí.

behind as a present. The idea was to keep me amused singing and dancing until I went to sleep. It was during those fun-filled moments that I performed my first melodies. I remember my grandmother, who I called Abita, applauding every time I finished a tune and announcing to all those gathered: "She´s going to be a singer". Also on that antique, battered piano I received my first lessons to later on continue with Esther, a beautiful and intelligent woman of admirable presence who was very proud of her Spanish and African origins. Her training as a social worker also served to tame my mettle and deal with my intense vigor.

Back to the ranch

I close my eyes and I can still hear Abita playing the blue piano in the sitting room of the hacienda. According to my aunts, blue was not the original color, but it had been sent to be recoated in that hue to harmonize with the new furniture they had bought. To them it was something wellsuited because the old house had Doric columns that matched the rectilinear legs of Louis XVI's pattern. It was no small battle to motivate Abu to replace the old Spanish colonial pieces and give them to Isa, who went loco over the gift. As usual, they took their ideas from magazines showing the houses of their favorite Hollywood stars. The girls enjoyed the zeitgeist and dedicated much of their time collecting publications such as *Good Housekeeping*, where they found the luxurious costumes worn by famous stars; outfits they would later order from their favorite dressmaker.

Every month the aunties would go to the commercial district of Muralla Street in Old Havana, where many of the fabric stores were located. There they bought the cloth and notions and afterwards went directly to pay a visit to Rosita, a heavyset woman with a strong Spanish accent who had the exceptional talents needed for duplicating dress styles from a photograph. Lucky to go with them at times, after all the purchasing and ordering were over, we invariably stopped, at my insistence, by the Woolworth coffee shop — colloquially referred to as "El Ten-Cent" — to lunch on hot dogs smothered with ketchup and delicious shredded French fries.

The dresses made their debut at the only two balls the girls were allowed to attend, the Asturian Center and the Galician Center in Havana. They talked and dreamed about them all year long for they were the only dances where they could dance with members of the opposite sex who were not family, although chaperones watched over them with great care.

Because I began visiting the ranch while still very young, they showed me pictures from their magazines and read aloud to keep me amused. They collected different publications, kept them in boxes, leafed through them to pass the time and even made remarks to me about the stars as if they knew them. The girls lived in a special world of their own. They went to the movies almost each week and oftentimes they invited me. And of course they made comments about Rita Hayworth, María Félix, Dolores del Rio, Virginia Mayo and Lauren Bacall. Those were some of their favorites. They also made cut-out photographs of the most important stars like Cary Grant, Tyrone Power, Errol Flynn, William Holden and Alain Delon*, among others, then framed them and put on the wall of their bedrooms.

Every week the parish priest visited seeking offerings and to say mass. My Abu never attended the rituals for, according to him, that was a female thing. But the girls always made confession and took commu-

*Years later, I was fortunate to have met this accomplished French actor in one of my visits to Washington, D.C.

nion and, likewise, it was also demanded from the help. I didn´t understand the process very well, but now I ask myself: What outstanding transgressions had they to reveal from their limited social intercourse? My Abu reasoned that some of my aunts´ friends, who enjoyed boyfriends or were married, could instill a perfidious influence upon his "girls".

Abu also tried to control what his daughters did around the house, which included work in the kitchen. He had the notion it was not a task for elegant young women. Although they were raised in the countryside, their lifestyle mimicked big city living. It was my Abu's aim, my mother explained, to raise refined girls like his brother´s daughters. The cousins lived in a large Spanish colonial, with a large central courtyard—Andalusian patio—in Old Havana, but it would have been impossible to drag Abu away from that red soil he loved so much. However, my aunts—my very imaginative aunts!—so distinct from their city cousins, what they wanted most was to create classic recipes; accordingly, could only get near the stoves during Abu's absences. They insisted on peeling the tubers (yams, cassavas, taros) and plantains to protect the help from cutting themselves. I still remember how their faces reflected a peculiar joy while scrubbing them; more like a caress, perhaps. Because children do have a deep perception at times that goes beyond the experience gained over the years, many times, when observing such gratification, I offered to help, but I was always rebuffed and kicked from the kitchen. These days it comes to mind when the servants were in a good mood, hard at work and my aunts out of earshot, they laughed recounting captivating anecdotes.

I suppose watching them at work was a gastronomic adventure, and that kept me amused. But in spite of all my antics and mischief, my aunts would not allow Paloma to reprimand me. I was, no doubt, shielded and spoiled. According to them, I never did anything inopportune and, in fact, everything I managed were simple "eccentricities."

Dissecting these memories, it is truly a miracle I developed so well centered. My effervescence was such, that the neighborhood pharmacist, a frosty Catalonian lady with, apparently, little patience for youngsters, referred to me as "the little rascal" when my mother paid a visit; a comment that always failed to amuse her. I was the apple of her eyes: adorable and lovely, with honey-colored curls that she painstakingly embellished with beautiful bows and ribbons. For my mother and my aunts I was easily an inspiration for the image on beauty products. I thank the Lord auditions were not popular then, or I would have been dragged to one to become a tropical Shirley Temple.

In my weekly visits they monitored me closely by placing me on a stool near the kitchen, for, according to them, I had the nasty habit of sneaking away to ride my horse. To cool me down they gave me a chilled, fresh coconut which I relished by sipping its water directly through a straw. It was then when my aunts revealed the family saga of our Spanish kinfolks from Asturias, Catalonia and Andalucia. Now that I have a better grasp of Iberian culture I realize this fusion of regions as explosive. What a mix! And that amalgam was seen a lot in the Americas while hardly seen in the Mother country, where the folks in each region, even today, prefer to go to the altar with other locals.

And what did I inherit from this hodgepodge of talents? Like I previously wrote in *Recuerdos de Sevilla...* (2014), from the Asturian side and as a woman, I probably inherited their tenacity; from the Catalonian their *seni* or "good sense" — although my kin may disagree — and, to my great delight, from Andalucia — my most enjoyable side—my love for music, dancing and singing; that happiness and panache that is the mark also of my Caribbean culture. (See appendix A)

All in all, the kitchen stove was a reflection of the harmonious existence the family thrived in. I recall my aunts supervised, with great rigor, certain dishes they created especially for me. Which was hardly a surprise for I was spoiled by being the only child they saw for quite a while. When my cousin finally appeared on the scene, I looked at her more like an animated doll. Maybe my aunts spoiled me less with the new addition, but I never noticed a change. Within me everything stayed the same. I was still the princess of the family, especially to my Abu, and I remained so until my last visit—an image I still keep locked in my heart—the same day he took his own life.

A few years back I was told that what precipitated his decision—an issue kept mum in the family—beyond the seizure of his property and assets by the tyranny, was to learn that they were going to send me abroad. I was the joy of the weekends and what kept him going after my Abita's passing.

The farm´s gastronomy contained certain ingredients that were never absent. However, I always asked for others to be included; these made my aunts think I had a somewhat odd palate. For example, it did not matter if the dish was salty, sweet, sour or bitter, I loved, and still do, to add raisins to most recipes. I used to "tell" the cook—because in spite of my warm smile I was born bossy—to include them in the hash, to the meat with potatoes casserole and to anything that came out of the pot. The vegetable fritters I liked to smear with honey—luckily, the place also had apiaries filled with the golden fluid.

The holdings were a small industry that yielded

some attractive gains; however, their thing was cattle and milk. Family lore claimed my grandparents' wedding gifts included 115 head of dairy cattle and fifty zebus, which were excellent for their meat. I spent many a times caressing big-eyed, golden-colored Jersey cows and their Holstein sisters with large black spots and enormous udders that seemed about to burst. When they were milked, the thick cream to make butter formed at the top of the pail; occasionally I saw how the alabaster liquid coagulated into a tasty, fresh cheese that was consumed by the whole family, the workers and neighbors, but never sold. The cows were docile and I was never scared when, in my adventurous existence, I ran through the pasture. They followed my comings and goings with amusement and, oftentimes, I fed them from my little hands.

All the meat (beef, pork, chicken) consumed by the family came from these animals, a fact no one ever told me. I always thought cows were so neat to give us milk and hens just sat there to lay eggs—forced death was so far from my mind that, if they died, it had to be in their sleep, like grandma. My aunties never dared to mention the meat for my favorite recipe could have been an offering from my favorite cow or from a chicken I had fed. Had I known what really happened, it would have persuaded me to become a vegetarian.

Now I appreciate how fortunate I was that on the Island horse meat was not part of the national diet, for riding horses was my ultimate pleasure. And, aware of it, Abu gave me a gorgeous specimen I named Gypsy and a very docile colt I called Star; however, Gypsy was my favorite one. He was completely brown with a long tail and a strong personality. When I sang to him, he became easy to manage as he came forth with a distinctive gait through the meadow at dawn. As I left the country and Gypsy had to stay behind, a favorite uncle promised to look after him until my return. Horses live, give or take, thirty years, but soon after my indefinite departure, a letter from my uncle explained the colt had fallen ill, didn't want to eat, and finally died. I like to think he missed our walks in the morning mist and the braiding of his mane. For several years I couldn't get him out of my mind, yet, gradually at first, his image evanesced as my life veered in different directions. Now I only have some images of Gypsy galloping in the meadows.

Because the coal ovens were laid out in the yard to prevent smoke from entering the compound, the kitchen of the hacienda stretched beyond its limits. Made from large iron grates and brick, they were used for roasting pigs consumed in large family gatherings or while celebrating important dates. There were three. Two large ones and a smaller one which was used to grill birds. In this small oven eggs were also roasted. Placed whole directly on the coals, they were removed and peeled when the shells took on a pale ashy hue. Savoring them was awesome. Velvety to the touch, they proved to be an excellent snack: smoked but not burnt. I loved them! Paloma also served them sliced, sprinkled with olive oil and garnished with finely chopped parsley.

Close to the kitchen, cashew and tamarind trees also grew. At dawn, as the sun began to show and the temperature rose to dry the morning dew, a favorite pastime was to sit under the branches to savor their fruit next to Rocky, my dog, who never failed to escort me. There were fruit trees everywhere, and, in a remote corner, several varieties of melons scattered around the grounds.

My aunts had a notebook where they wrote dozens of recipes, made drawings of the dishes and even of the twigs of the aromatic herbs that were used. The younger one had a talent for painting and was in charge of the artistic part of the notebook; her watercolors were lovely and translucent. Her favorite painter was Claude Monet, as she had reproductions of his work hanging on the living room walls. But all that, like incriminating footprints, lingered on the island, where the "girls" died. I never saw them again.

Some of the recipes in that homemade book came from my Abita's imagination and in her own handwriting. Unfortunately she died prematurely when the asthma medicine she was prescribed weakened her heart. But most of the recipes were creations of the aunts and all, according to them, delicious.

When preparing the recipes, the house was flooded with sweet and seductive aromas that filtered to all corners of the house and even reached the garden next to the kitchen, where the aromatic herbs were sown. There one could find parsley, oregano, bay leaf, coriander, sage, rosemary, thyme, dill, cumin, basil, and also included some balsamic plants like mint, lavender, anise and camomile, among others. I had the privilege of growing up collecting those leaves to fill baskets, and later on I even learned to create infusions that have helped me throughout my life. Maybe those inspirational images are the ones that have allowed me to enjoy cooking so much. Today, beyond preparing home remedies, I also like to read books with new recipes and file away any culinary item that reaches my hands.

For my aunts, seasoning dishes was "like sewing and singing", until the good times came to a sudden end. The new barbarians stole each and every thing without compensation. Ambrosias became scarce, and the spice plants, like fateful prophecy, dried up. Almost everyone in the family, friends and neighbors, including Paloma, fled abroad not unlike the von Trapp Family, but without a singing performance, except for the "girls."

Life goes on

Living abroad and as time went by, being a young university student, although already married, my great pleasure was to invite friends, poets, musicians and painters to partake in a meal. While I got the dishes ready using natural products and everything I learned from my aunts, my talented pals recited poetry and harmonized with the guitar and piano—a fair exchange, for sure. Oftentimes, after clearing the tables, I was encouraged to sing jazz and my favorite Cuban boleros, accompanied by one of the guitarists or a pianist.

Eventually work got in the way, and although I'm now older and too busy to entertain in gatherings and recreate dishes, that does not mean I have forgotten the pleasure of a good table. Especially the delight I still get when I can join family celebrations here or in Spain, or with long-time friends, even if they take place in a restaurant.

I have learned that food and wine offer the ease to relax; they make evenings last, like the ones I once put together. Friends still share yarns from those years—a cool crowd. Lovers of good food digging into my creative dishes and, of course, the recitals of poetry and music of all those invited. (See Appendix B)

After this essential preamble, I want to share some of the dishes my lovely aunts put together. Because during a great many occasions I have relished them at leisure time, I remember them well.

Feel blessed. Ah!, of course, Bon Appetite!

EPILOGUE

The idea for this modest work came to me after writing the short story "La finca" — The Farm — which was included in my book of stories, *Más allá del azul* — Beyond the Blue (2013). It got me energized about what I had penned and the reminiscences of my family. I also realized that, in addition to recounting about growing up in Cuba, there was still much more to discover, especially the warmth of those kinfolk who lived around me; those significant passages of my life that could not be seized by the authorities as I left the Island. Experiences I would never forget. That is why I decided to publish these recipes, with an exordium and a post-script in which I define who I was and how I hope to be remembered. And I confess this is the book I have enjoyed the most sharing. A work full of sweet and sour flavors, as life itself is, and the aromas of those pleasant memories that have endured.

I heartily offer the cuisine of "the girls" — my comely aunts. As I said at the beginning, they came up with dozens of dishes and I culled those I remember — and liked best, probably — from the time I was a disobedient little darling. Even if you never concoct these recipes, I know that at least you will enjoy reading them, along with some of the comments I sometimes include. They were the Island´s basic dishes of the period and the creole cuisine of my aunts. Evoking them they provoke refreshing dreams mixed with a nostalgia that is so hard to replicate. And by now I know quite well those days will never return. They are the times of the "eternal Cuba", as conveyed by José Sánchez-Boudy in *Estampas de la Cuba Eterna* (2009).

This of course brings us to Miami. An American and Southern metropolis where you can best taste and celebrate the true Cuban cuisine like in yesteryears. The dishes found here are filled with fragrances from fresh ingredients, something lacking in the Island for more than half a century. Here in South Florida we can cure that longing for our idiosyncratic tastes* in restaurants such as La Habana Vieja, Larios, La Carreta, Versailles, Río Cristal, Rancho Luna, and over a thousand more.

Accordingly, now I can assert that, despite the shocking experiences of my life: The passing, first, of my cuddly grandmother, then of my beloved Abu and later—as time ran out for all of us away from each other—of many close relatives without seeing them again, and the trauma of being forced to leave my homeland caused, I have been in high spirits. That's how I decided to be ever since I fostered logical acuity and an iron will. I feel blessed. Because I love life with all its ups and downs, I'm satisfied and thankful that I am still here, and I know that I will always find a great universe. Thus, my bookish friends call me: "Incorrigible optimist" and "eternal romantic." Yes, most of the time I am. And I say like the celebrated Gertrudis Gómez de Avellaneda wrote in *El artista Barquero*, "So true is that happiness and even pain knows how to deploy force and strength to man, which does not seem possible in normal existence."

The secret when we lose is to seek and accept with joy what we find, to later explore afresh. Today I wish you may achieve a splendid existence and a world brimming with poetry, colors and captivating aromas.

*Creamer, Colleen. "In Miami, Cuban Culture, No Passport Required" Online *New York Times* [NY] 7 Apr. 2016.

APPENDIX A

"You have a fine-tuned voice", pronounced emphatically — and to my delight — Ricardo García Perdomo after he heard me sing. The legendary composer of *Total* – translated and crooned around the world a million times — asked for my rendition of his tune at Jensen´s one fine night in Little Havana. In that nostalgic venue, where I trolled as a guest for several years to keep my lit zines — *LSR* and *Ambos Mundos* — afloat through kind donations, García Perdomo also said, as he was departing: "If you want *Primavera* — his last composition — is yours." He was the one who encouraged me — before falling ill — to record old boleros. The CD came to fruition a few years later. The music videos of two of the songs, *Como* and *La Puerta*, are available on YouTube. I have enjoyed immensely sharing them with friends and collaborators. Also composer — *La noche de anoche* – and bandleader René Touzet, a coveted Hollywood entertainer of the 40s and 50s — he delivered a great jazz rendition in *Criss Cross (1949)* – gave me the nod and a comment for the cover of the CD. His enthusiasm was such that he asked me to record eight of his favorite songs with him on piano. Unfortunately and to my great regret, while traveling with my family in Spain, René passed in his sleep before the project got off the ground. Nevertheless, we were able to film him in a documentary — directed by Felipe Nápoles — which will reside with the Cuban archives of the University of Miami.

APPENDIX B

Those invitations to my home attracted some of the "sacred cows" of the art world. Painters Enrique Riverón, Teok Carrasco and impressionist Berta Randín, who rendered my *Portrait in Blue* that now hangs in my living room. Other friends also dropped by: Painters like Miguel Nin — a cousin to Anaïs Nin, whose ties to the Güell family side include my husband, Jerry — Raulito Cremata, who later owned an art gallery in Little Havana, Agustín Gaínza, and Gilberto Marino, who tried but never became a celebrated painter — he painted a lovely portrait of my daughter Yasmin.

Sunday afternoons were the best, as the number of artists swelled and some of them also brought their work. The visitors included sculptor Tony López and his wife Esperanza, who never missed the festivities; writers José Sánchez-Boudy and Hortensia Ruiz del Vizo, his wife; language professors Ellen Lismore de Leeder, Leonardo Fernández Marcané and Ofelia Hudson, his ex-wife. Some of the writers talked their heads off, but others read their latest efforts. These included novelists Juan Carlos Castillón — now back in his native Barcelona — Carlos Victoria, Manny Serpa, Enrique Labrador Ruiz — and his wife Cheché — anarchist publisher and historian Frank Fernández, playwright Nilo Cruz, theater director Julio Pedro Gómez and filmmaker-scriptwriter Orestes Matacena, grand-nephew to Italo-Cuban patriot-writer-politician Orestes Ferrara, and cousin of that fine intellectual Jorge Mañach Robato.

Poets were plenty in numbers: Former rebel capitan Roberto Cruzamora, Jorge Oliva — he swam the distance to sneak into GTMO naval base — Concha Alzola, Amando Fernández, André Avellanet and Alberto Muller — did twenty years in Cuba's gulags —

and, from time to time and incognito, my good friend and off-the-wall wordsmith, Roberto Yanes (who shot himself in the chest) would stop by. All talented buddies who offered us their new creative endeavors.

Finally, hard to forget for his concerted dynamism was René Touzet playing the piano and singing his own compositions. These powwows often included the singer and pianist Vicky Roig, brought along by her beau of the moment, Alberto Muller. And to add always a historical "note", the musicologist Hall Estrada—organizer of the first Bolero festival, held at Florida International University, where I sang with Cesar Morales at piano—regaled us with his knowledge.

...no siento ambiciones, ansias ni desvelo
quiero solamente vivir y cantar,
¡es tan puro y simple todo lo que anhelo
que cabe en mí mismo, como cabe el cielo!
　　　　　　　　　　—José María Pemán

... I don't feel ambition, angst nor concerns
I only want to live and sing,
It is so pure and simple all that I crave
that it fits within myself in the same breath with heaven!